Sacrifié

Des mirages de la gloire aux merveilles de la foi

Du même auteur

Discographie :
In Terra, Rejoyce, 2003.

Pour en savoir plus sur Steven Gunnell,
consultez son site Internet :

www.stevengunnell.com

Steven GUNNELL

Sacrifié

des mirages de la gloire aux miracles de la foi

PRESSES
DE LA
RENAISSANCE

Ouvrage réalisé
sous la direction éditoriale d'Alain NOËL

Si vous souhaitez être tenu(e)
au courant de nos publications,
envoyez vos nom et adresse, en citant ce livre,
aux Éditions des Presses de la Renaissance,
12, avenue d'Italie, 75013 Paris.
Et, pour le Canada,
à Interforum Canada inc.,
1050, bd René-Lévesque Est,
Bureau 100,
H2L 2L6 Montréal, Québec.

Consultez notre site Internet :
www.presses-renaissance.fr

ISBN 2.85616.974.0
© Presses de la Renaissance, Paris, 2004.

Avertissement

J'ai voulu raconter ma vie pour apporter un témoignage. Je ne suis pas le premier à le faire, je ne serai pas le dernier. Pourtant, il m'a semblé utile de conter les épreuves par lesquelles je suis passé. Je voulais en témoigner pour ceux qui pourraient y être soumis, à leur tour, afin qu'ils soient avertis des pièges qui les menacent sur leur route. Je voulais le faire, aussi, pour dire que les fautes ou les erreurs que l'on commet, quelles qu'elles soient, ne sont jamais irrémédiables.

Je dédie ce livre...

À tous ceux qui m'ont tendu la main,
Et à tous ceux qui m'ont trahi,

À tous ceux qui m'ont adopté, pour un temps ou pour toujours, tel que je suis,

À tous ceux qui ne m'ont jamais rappelé et que je n'ai jamais rappelés (je vous donnerai de mes nouvelles bientôt !),

À tous ceux que j'ai trahis aussi, que j'ai laissés sur le bord du chemin... par manque de courage ou de force, je n'ai pas d'excuse... Puissiez-vous me pardonner comme j'ai pardonné.

À tous ceux qui se sont soucié de moi, qui ont pris soin de moi,
À tous ceux qui m'ont oublié quand j'étais dans le besoin, ceux aussi que j'ai négligés ; j'étais persuadé que je ne pouvais en aucun cas leur venir en aide. Alors que parfois il suffit d'un acte de présence ou

d'attention... C'est peut-être la première chose que Dieu (ainsi que la morale de l'homme) nous demande avant tout : « Aimez vous les uns les autres ! »
Je l'ai compris bien tard...

Tous, sans exceptions, ennemis ou amis, ceux qui sont cités et ceux qui ne le sont pas, je vous remercie. Car chacune des rencontres que j'ai pu faire, chacune des expériences que j'ai pu vivre, chaque victoire remportée et chaque défaite subie m'ont poussé, parfois avec joie, parfois avec peine, à devenir ce que je suis aujourd'hui... et ce que j'aspire à être demain !

Merci à tous et notamment à Jérémie Ceaucescu pour sa collaboration et son aide riches et précieuses.

Vous m'avez tous aidé à trouver le « Pardon »... Ne serait-il pas le Salut de l'homme ?

Bella vita

Le soleil cogne sur la mer, tout brille, il fait chaud ; j'ai quelques mois à peine et nous venons d'aménager à Juan-les-Pins.

Mon père est absent : il est en tournée ; mais ma mère est là, et tout va bien.

Ma mère, d'ailleurs, a toujours été là ; mon père aussi, mais d'une autre manière, plus erratique. Elle, elle a toujours été auprès de moi en me laissant ma liberté. J'ai pu m'en éloigner, faire toutes sortes de sottises, je la savais quelque part dans mon cœur et c'était assez pour ne pas me perdre complètement.

Je me sens bien, à Juan-les-Pins, dans les bras de ma mère. Comme moi, elle n'est pas venue au monde dans la ville où elle a grandi. Née Battistella, Evelina Oriana, ma mère est issue d'une famille vénitienne venue s'installer sur les bords du lac d'Annecy alors qu'elle avait quatre ans. À douze ans, elle montre des dons exceptionnels pour la danse. Son professeur, admiratif, veut la pousser dans la carrière et se propose de tout arranger pour qu'elle entre, comme petit rat, à l'Opéra de Paris. Refus tout net du papa. Trop autoritaire ? Je ne sais pas. Laisseriez-vous votre fille de douze ans s'installer seule dans une ville à huit cents kilomètres de chez vous ? Donc, Evelina n'ira pas à Paris. Mais la fascination pour le monde artistique, sous toutes ses formes, s'est implantée en elle. Peut-être la tient-elle de sa mère qui, à Annecy, vit dans la nostalgie de sa jeunesse, lorsqu'elle chantait avec une troupe, sur une *zattera* – un radeau transformé en scène mobile –, pour les malades et les démunis, dans les îles vénitiennes. Le chant était la vraie vocation de ma grand-mère, le monde artistique sera celle de ma mère. Mais l'école l'en éloigne plus qu'elle ne l'en rapproche. Alors, elle décide d'arrêter. À quatorze ans, elle devient coiffeuse. Apprentie à vrai dire, dans le plus grand salon de sa ville de province. Mais dès l'âge de quinze ans, elle a ses propres clients. Parmi eux, les stars de l'époque, qui la demandent lorsqu'elles sont de passage dans la région, entre deux galas, pour un brushing. À dix-huit ans, elle plaque tout, et quitte les siens pour mener sa vie. Paris, Saint-Tropez, Megève. Elle se retrouve partout où ça bouge. Elle n'est pas une star elle-même, mais elle est toujours dans le sillage, dans l'environnement des stars. Par goût, par plaisir, par nature.

Ce parcours qui fait sa singularité a sans doute influencé ma manière de voir le monde. Mais ce n'est pas pour moi le plus important. Ce n'est pas cela que je ressens, alors que je n'ai encore que quelques mois. C'est son amour.

Ce qui caractérise ma mère, c'est qu'elle rayonne d'amour. C'est comme ça. Je ne le dis pas parce que c'est ma mère, mais parce que c'est vrai. D'où lui vient cette capacité d'aimer les autres, d'être attentive à ce qu'ils sont, à ce dont ils ont besoin ? Je l'ignore. Peut-être d'une grâce. Peut-être de la foi qu'elle a, chevillée au cœur ? À moins que ce ne soit de la prière, qui ne l'a jamais quittée ? En tous cas, j'ai toujours eu le sentiment très fort, sans toujours avoir été capable de le formuler, qu'elle incarnait le précepte évangélique selon lequel il faut aimer son prochain. Pour le dire tout net, ma mère fait ma fierté de fils.

Mon père aussi fait ma fierté. Mais lui, c'est une autre affaire. D'abord, c'est un Anglais de pure souche, né au sein d'une famille modeste à Clacton-on-Sea, dans le compté d'Essex, au sud-ouest de l'Angleterre. Son père était dans la Royal Air Force et sa mère, femme merveilleuse, s'occupait de la maison. Chose singulière dans ce pays anglican, les Gunnell étaient catholiques. Et pas qu'un peu. Pratiquants. Tous les dimanches à l'église, et le petit Richard à l'école religieuse du coin ! Malheureusement, la religion n'était pas la tasse de thé de Richard, surtout qu'à treize ans il avait entendu, dans le pub du village, *Heartbreak Hotel* d'Elvis Presley et qu'il avait basculé dans un univers totalement différent. L'un dans l'autre, mon père devint donc, à la fin de l'adolescence, rockeur et athée. Mais rockeur militant, pour de vrai, et athée par défaut, parce qu'il en avait sa claque de la religion.

À vingt-deux ans, il quitte son pays pour venir en France, monter un groupe de rock'n'roll. Il devait y passer quinze jours, il y restera toute sa vie. Le groupe, les tournées, la scène, jusqu'à aujourd'hui. Il n'a jamais été très connu – encore que, mais j'y reviendrai –, ni très riche, mais il est allé au bout de lui-même, au bout de son idée, envers et contre tout, et même un peu, peut-être, au détriment de la famille.

Parce que, si Evelina Battestella et Richard Gunnell se rencontrent à Megève où ma mère était de passage, après Paris et Saint-Tropez, et où le groupe d'alors de mon père, Big Wheel, venait donner un concert, si c'est, entre eux, aussitôt, le coup de foudre, et si, enfin, trois ans plus tard, le 17 décembre 1974, j'apparais, les absences prolongées du mon père – « *The show must go on !* » – rendent de plus en plus invraisemblable leur vie de couple.

Sur les routes, avec son groupe, sans cesse par monts et par vaux, dans toute la France et au-delà, des allers et retours permanents, entre famille et tournée, telle est la vie de mon père ; et sa dernière absence dure deux ans.
De quatre à six ans, je grandis, entre Juan-les-Pins et Annecy, sans le voir. J'en arrive presque à l'oublier.

Lorsqu'il se pointe, ma mère, qui m'a élevé pratiquement seule, après avoir trouvé du travail dans un salon de coiffure, considère qu'il ne leur est plus possible de continuer ainsi.
Ils se séparent. Ils ne s'étaient jamais mariés. Mon père va s'installer dans le Var, à Draguignan, et nous, nous déménageons vers l'est, à Cagnes-sur-Mer.

Culture rock

J'ai six ans lorsque nous arrivons dans cette nouvelle ville. Je suis en mesure d'appréhender les changements qui surgissent dans mon existence, et j'ai le cœur gros. Pas tellement à cause de la séparation de mes parents. L'amour et la charité de ma mère, la noblesse de mon père m'ont préservé des déchirements qui ravagent la vie des enfants de « divorcés ». Quoique séparés, ils continuent de s'estimer l'un l'autre. Et quoique libres, ils n'ont envisagé, ni l'un ni l'autre, de refaire leur vie. Mon père m'a expliqué, un jour, que c'était parce qu'il ne pouvait rencontrer personne de mieux que maman. Quant à ma mère... Pour elle, c'était simplement impensable. Et puis, je crois aussi, qu'ils ont pensé à moi. S'il fallait une preuve de leur qualité, une seule preuve, elle serait là.

Ceci dit, et malgré toute cette bonne volonté, je dois avouer que pour un gosse, des parents séparés, ce n'est pas une vie. On ne comprend pas. On saute de l'un à l'autre comme à la marelle. C'est amusant un temps, mais très vite ce ne l'est plus. Il y a quelque chose qui ne va pas. On n'arrive pas à savoir quoi exactement, mais on sait. On se tait pour ne pas faire de peine. Mais on n'est pas dupe. Et on grandit décalé.

Donc, me voilà débarquant à Cagnes-sur-Mer, jeté dans une vie nouvelle. Nouvelle école, nouvel environnement, nouveaux amis. Et à six ans, je suis un peu formé. J'ai déjà mes travers ou plus simplement ma façon d'être au monde, qui est un peu particulière, je dois bien l'avouer.

Je suis un solitaire. Je me lie difficilement, je n'entre pas dans les schémas communs, je ne me mêle pas aux jeux de groupe. C'est un bonheur et un malheur. Solitaire, on est enclin à créer des amitiés plus profondes. Mais on est, aussi, un peu marginalisé, et l'on en souffre. On en souffre parce que l'on ne connaît pas les codes qui nous permettraient d'être à l'aise dans la société des autres. Une société que l'on n'apprécie pas beaucoup, c'est vrai, mais que l'on ne méprise pas. Et moi, j'en souffre d'autant plus que je suis un « explosif ». J'ai toujours été ainsi. J'ai toujours senti en moi une vibration puissante qui agitait mon cœur et mon âme. J'ai été un peu aidé, il est vrai, poussé sur cette pente, par le fait qu'à la maison, la musique était à fond et que, pour parler, il fallait crier et gesticuler si on voulait se faire entendre.

Vous imaginez bien que ce mélange de réserve et d'explosif me disposait à tous les enthousiasmes et à toutes les naïvetés. Comme le disait de moi un membre de ma famille : « Un vrai petit démon, cet ange ! »

Heureusement, j'ai la chance, peu de temps après mon arrivée, de rencontrer un petit voisin de mon âge, Pierre Campagne, qui illumine, pour moi, Cagnes-sur-Mer. Très vite, nous devenons inséparables : Tom Sawyer et Huckleberry Finn. C'est mon ami, le frère que je n'ai pas eu, je n'ai besoin de rien d'autre. Évidemment, on fait les quatre cents coups ensemble, dans le quartier, à l'école. « Gunnell et Campagne ? Vous me les séparez. Je ne les veux pas ensemble, ces deux-là ! » Évidemment, encore, mes résultats scolaires en pâtissent. Je suis, comme qui dirait, un cancre. Et ma mère s'en inquiète. Moi, je n'y vois aucun inconvénient. Je sais que je l'aime, que mes emportements, à l'école notamment, ne sont pas dirigés contre mes camarades ou mes maîtres, qu'ils viennent simplement du fait que je ne peux rester assis à ma table. J'ai besoin de sauter, de courir, de crier, de jeter des galets dans la mer, de donner des coups de pied dans le sable.

Pour le reste, je partage mon existence enfantine et adolescente entre mes parents.

Je vis, à proprement parler, avec ma mère. Elle est toute de douceur et d'attention. Elle me passe tout, me pardonne tout. Elle manifeste, et manifestera toujours, quelles que soient mes erreurs, une confiance illimitée en moi. Je suis tellement choyé ! J'aurais pu devenir un enfant gâté. Et cela d'autant plus facilement que l'univers qui m'environne et me pouponne est exclusivement féminin : ma mère, mes tantes, les amies de ma

15

mère, les amies de mes tantes. En outre, je suis fils unique et seul garçon dans ce petit monde. Enfant gâté, quelle tentation ! Mais les valeurs qui ordonnent l'existence de ma mère m'empêchent d'y céder.

Pour les vacances, je rejoins mon père. J'apprends à le découvrir. Et plus je le comprends, plus mon respect pour lui grandit. Rockeur jusqu'au fond de l'âme – plus de trente ans de carrière à bourlinguer dans tous les coins de France et de Navarre avec son groupe –, il n'en a pas pour autant renoncé à son goût pour la lecture. Son appartement est rempli de livres et de disques. Les livres sont en anglais. Je n'y comprends rien. Mais les disques, je peux en regarder les pochettes, et surtout les écouter avec les commentaires et les explications de mon père.

Tout a commencé par mon premier choc musical. J'ai sept ans. Je suis de passage chez mon père, à Draguignan, pour quelques jours, avant d'embarquer dans son camion, en compagnie du groupe, les Citizen's, et avec deux tonnes et demie de « matos », direction les Arcs pour quinze jours : les vacances de Noël. La veille du départ, durant nos préparatifs, j'entends à la radio – la BBC, qu'en bon Anglais il continue d'écouter –, un morceau de hard rock qui me secoue. Je regarde mon père éberlué : « Mais qu'est-ce que c'est ? » Il me sourit et sort. Lorsqu'il revient, il tient dans les mains un 30 cm, sur la pochette duquel figurent quatre visages zébrés d'éclairs noirs. Le groupe s'appelle Kiss, et le morceau qui m'a chaviré s'intitule : *I was made for loving you*. C'est le déclic. Je veux en savoir plus. Connaître le rock.

Et, singulièrement, cela deviendra ma véritable éducation au monde. À l'école j'apprends, plus ou moins consciencieusement, ce que tout enfant doit savoir : à lire, à écrire, à compter. Mais ce sont des devoirs, dont je dois m'acquitter ; un savoir que j'ingurgite sans lui trouver aucun goût. Avec ma mère, j'apprends à me tenir dans le monde. À respecter ce qui est respectable, les gens en premier lieu. Car, même si, *speed* et très agité, je me laisse parfois aller à dépasser les bornes, mes débordements ne visent jamais les personnes. Mais avec mon père, et son goût pour le rock'n'roll, je découvre le sens de la « culture ». Et je peux vous dire que celle-ci en vaut bien une autre. Je découvre un monde qui a une histoire, un passé, avec des auteurs, des œuvres. Mon esprit s'éveille en écoutant les vieux classiques qui ont bercé l'enfance de mon père : Elvis Presley, Jerry Lee Lewis, Chuck Berry, Gene Vincent. Puis ce qui est venu par la suite. Dans les années 1970, 1980. Ça me plaît. Ces musiques me racontent des choses, elles me font rêver sur des sons, sur des vies, sur des époques. La musique, le rock, devient ma littérature, ma clef pour comprendre le monde. En plus, mon père en est ! Il appartient à cette histoire. Objet de fierté. Preuve que c'est une culture et une histoire vivante ! Surtout que, chaque année, quand on se retrouve, pour les vacances d'hiver, aux Arcs 1 800, où il tourne avec son groupe, je suis de tous les concerts !

Donc, j'appartiens à un monde différent de celui de mes camarades de classe. Un père rockeur. Une mère coiffeuse, mais qui a connu tout le petit monde artistique de son époque, et qui conserve cette aura, même à Cagnes-sur-Mer. Avec mon tempérament, ce double héritage me confirme dans ma singularité et dans mon indifférence aux codes ordinaires.

Je n'ai pas une idée très nette de cette situation mais, quoi qu'on me dise, quoi qu'on me raconte, j'ai le sentiment confus que tout cela reste provincial. Entre ma mère et mon père, bien que nous ne soyons pas riches, j'ai l'impression d'avoir accès à des univers que tous les richards du coin, malgré leurs ressources, ignoreront jusqu'à leur mort.

Ce qui me donne un sentiment de supériorité rentré qui sera l'un des éléments de ma fierté. Une fierté qui, pour le bien comme pour le mal, ne me lâchera plus. Il est vrai qu'une telle origine est une configuration idéale pour un agité comme moi, qui y trouve une espèce de légitimité à ses travers. Mais c'est une béné-diction, aussi, car grâce à elle jamais je n'éprouverai de ressentiment. Je me concevrai différent, à part, singulier, mais jamais envieux.

Et je pousse, ainsi.
En marge de l'école. Dans la rue, qui est mon vrai domaine.
Avec une insouciance et un mépris solaires.

À 15 ans : au taf

C'est l'hiver, les vacances. J'ai presque 15 ans. Comme j'en ai pris l'habitude, depuis quelques années, durant cette période, je traîne aux Arcs, accroché aux basques de mon père qui joue dans la station avec son groupe, les Citizen's. Concerts de rock, vie nocturne, boîte, danse.

Je me plais à le suivre dans cette existence décalée, tissée de nuit et de bruit, à laquelle je mêle la glisse, le surf. Je me verrais bien la continuer, plus tard. Mais telle que je la découvre, ici, du côté des coulisses. Pas autrement, pas comme un fêtard ou un jouisseur : en invité, plutôt, à l'image de mon père. Décalé. Au cœur de la fête et en même temps au-delà d'elle.

Cet hiver là, je suis dans ma période hip-hop : grands écarts, acrobaties sur le *dance floor* ; sauf que ce soir, précisément, c'est sur la moquette du *Carré blanc*, la boîte la plus branchée du coin, que je fais le guignol. Elle n'est pas faite pour ces exhibitions, la moquette,

19

et fatalement survient l'accident. Ce n'est pas le premier ni le dernier. C'est curieux d'ailleurs comme les pépins m'arrivent toujours de la même manière : je fais quelque chose, je m'amuse, j'y vais à fond, je pousse, un peu, un peu plus, encore un peu plus, et finalement je passe la mesure, je vais trop loin, je me plante. Cette fois, luxation de la rotule droite. Ce n'est pas grave. Mais je dois garder la chambre trois semaines. À quelques jours de la fin des vacances !

Que s'est-il passé, alors ? A-t-on oublié de prévenir l'école ? Se sont-ils vexés ? Ont-ils cru que je les snobais ? Que j'en prenais à mon aise ? En tout cas, l'encadrement scolaire – comment pourrais-je l'appeler autrement ? – a sauté sur l'occasion pour se débarrasser d'un mauvais élève, un cancre, un perturbateur incorrigible. Le proviseur de l'école, monsieur je-ne-sais-plus-qui, notant mon retard prolongé, téléphone un beau jour pour avertir ma mère que ce n'est pas la peine que je revienne. Traduction : fin de la scolarité pour votre fils Steven.

J'aurais pu chercher à m'inscrire ailleurs. Je ne l'ai pas voulu. Ma mère, qui a toujours manifesté une extraordinaire confiance en moi, fait contre mauvaise fortune bon cœur. Mon père, de nous tous le plus préoccupé par mes études, aurait pu intervenir, me botter les fesses, me remettre dans la ligne, mais il est reparti sur les routes. Et puis, je ne crois pas qu'il l'aurait fait. Il accordait une grande importance à la culture – un reste de sa très stricte éducation, dont il n'a jamais renié les acquis –, il était sincèrement peiné de me voir m'égarer, faire le zouave, négliger l'école, mais il n'était pas du genre à contraindre les volontés. Et moi, je ne voulais plus retourner à l'école.

Donc, à quinze ans à peine, je me retrouve jeté dans la vie active comme une météorite. D'ailleurs, aussi conscient qu'une pierre de ce qui m'attend réellement. L'école ne me plaisait pas. Le côté enrégimenté : « Tu restes assis et tu te tais », « Tu fais comme tout le monde et tu es content », me donnait de l'urticaire. En revanche, travailler, apprendre, était une chose que j'aimais, envers laquelle je ne me montrais nullement récalcitrant. Toujours prêt à découvrir. Mais pas entre les quatre murs d'une classe simplement. Alors, du haut de mes 15 ans et de mon inexpérience... je fonce. Le monde s'ouvre à moi.

Je n'ai pas de formation mais assez vite je trouve un boulot avec l'aide de mon père, qui a bien dû se résigner à mon nouvel état. Une place de serveur aux Arcs. Là-bas, il est connu et il connaît du monde. Serveur dans un restaurant. Ce n'est pas mal pour un début. Et six semaines ! De quoi voir venir. Quand je pars, je suis fier. Je vais gagner ma vie tandis que mes anciens « camarades » continueront d'user leur culotte sur les bancs de la classe.

Très vite, cependant, je déchante. Je découvre l'enfer. De quoi regretter l'école. Levé à sept heures du matin, travail, repas, travail, repas, travail, couché à deux heures du matin. Je tombe comme une masse. Je n'ai le temps de ne rien faire, l'envie de ne rien faire, l'énergie de ne rien faire. Du restaurant au foyer, du foyer au restaurant, pendant six semaines. Et je n'ai que quinze ans ! À la fin, on me félicite : « Bravo, p'tit gars ! On croyait pas que tu tiendrais. » J'ai tenu, seulement je suis halluciné. Où je vais comme cela ? Dans quel mur ? C'est ça, la vie ? Le travail ? Salarié ! Le bagne pour l'éternité, oui !

Ce qui me sauve, à mon retour des Arcs, c'est la musique. À nouveau la musique ! Mais la mienne, cette fois. Je découvre Nirvana, Guns'n'Roses, et j'en subis le choc. Comme tous les gosses, c'est vrai, mais avec un plus. D'abord parce que, pour moi, c'est du concret ; je relie tout de suite ces groupes aux Citizen's de mon père. Je ne fais pas la confusion, bien sûr, mais cette musique, pour moi, ne vient pas de Mars. J'ai vu comment cela fonctionnait. Et que c'était possible. Je suis même déjà monté sur scène, avec mon père. Pour faire le clown ? Peut-être. Mais c'est déjà beaucoup. J'ai vu le public en face ; et j'ai entendu ma voix, amplifiée dans les baffles. Bref, je connais.

Ensuite, ce choc me libère. Comment dire ? Il me rend ma jeunesse. Après mon exclusion de l'école et mon expérience de serveur, j'avais eu l'impression d'être fini ; passé adulte sans avoir grandi, épinglé sur la pointeuse pour le reste de mes jours. La musique, cette musique, m'ouvre un univers dans lequel je m'engouffre.

Dans Kurt Cobain, qui devient mon idole, je ne vois pas le nihiliste et le suicidaire que l'on découvrira plus tard. Ce qui me plaît en lui, c'est le côté énergie, son timbre aussi, son look, et ce regard net, volontaire, qui semble receler des certitudes. Or, c'est de cela dont j'ai besoin : de certitudes. J'ai besoin de savoir qu'il y a un sens, une direction à suivre. Car déjà, mon mot d'ordre n'est pas celui des punks : *No future*, mais celui que l'on trouve inscrit sur certaines planches de skate, mon autre passion : *New future*.

Quoi qu'il en soit, je me laisse pousser les cheveux et je déchire mes jeans. Ma mère se désespère, mon père se marre. Moi, je suis fou.

Maintenant, armé de cette nouvelle joie de vivre, je peux recommencer de travailler. Je sais qu'il y a autre chose, que je ne finirai pas ma vie comme serveur ou mécano. Ce n'est pas que je méprise ces métiers. Au contraire. Et moins encore aujourd'hui, après avoir connu le miroir aux alouettes. Mais je pressens, dès cette époque, que mon destin est ailleurs.

Et je travaille. Marbrier, vendeur, serveur, saisonnier. Je gagne quelques sous. En même temps, je retrouve mes potes du quartier. Comme moi, ils ont arrêté leur scolarité. Tous sont engagés dans la vie active, excepté mon Greg, qui entretient encore une relation lointaine avec le lycée Renoir. La passion du skate nous rapproche. On forme une bande de *riders* : les frères Imbert, Cédric, Hervé, Grégory, et d'autres.

Les virées sur la plage, les descentes du quartier en skate, le soleil, les lunettes noires, la musique, les terrasses où l'on baille aux corneilles en regardant passer le chaland font notre ordinaire. Dès qu'on en a l'occasion, on se retrouve et on fait la fête ensemble.

Je grandis en leur compagnie ; je mûris. En plus du skate, l'art nous rapproche : la peinture, la sculpture, le théâtre ou encore la musique. Greg n'est pas en reste, qui est passionné par la peinture. Quant à moi, je suis au diapason, enfin presque. Je pense de plus en plus à la musique comme à mon avenir, à mon horizon, même si je ne fais rien, matériellement, dans cette direction.

Et le temps passe. On se motorise mais on ne change pas. Toujours pareil. Dès qu'on a un moment, on traîne en bande. On fait les « cons », sur la plage, dans la pinède, les villages de l'arrière-pays, à Saint-Paul-de-Vence, dans les ruelles du vieux Nice.

Nous sommes tous issus d'un monde singulier, plus proche du prolétariat que de la bourgeoisie. Mais ça ne fait rien. Ça ne nous gêne pas. Dans le Sud, quand il s'agit de ne rien faire, tout le monde est d'accord, tout le monde partage la même terrasse de café. Et sous le soleil, il n'y a plus de hiérarchie sociale. Avec ma bande, on s'entend bien. On voit le monde avec les mêmes yeux. On partage un même cœur, gros d'espérance. C'est une belle amitié ! Elle me sera utile.

Je n'en oublie pas, pour autant, mon besoin de me retrouver seul, parfois, de méditer, en tête à tête avec moi-même. Ou plutôt avec un Autre qu'à cette époque je ne nomme pas encore.

C'est un besoin ancien, que j'ai toujours connu et auquel mes proches ont fini par se faire. Non sans difficulté, à vrai dire. Ainsi, lorsque j'étais enfant et que je m'enfermais, toute une journée ou un après-midi, ma mère s'inquiétait. Elle me trouvait bizarre, « différent ». J'imagine que pour elle, qui est tellement croyante, qui pense sans cesse à Dieu, qui parle sans cesse de Dieu, ce n'était pas tellement le fait que je « médite » qui l'inquiétait. C'était plutôt, sans doute, mon attitude générale, tout entière faite d'extrêmes, sans intermédiaires : elle me voyait passer, du jour au lendemain, de la plus vive agitation au recueillement le plus silencieux, de la vie la plus grégaire à la solitude la plus stricte.

Donc, entre deux virées, entre deux journées de travail, je prends le temps de me retirer, de me retrouver, de méditer, de faire le point sur mes actions et d'écouter.

Je n'en oublie pas non plus ma culture rock, et la musique. Le projet d'en faire ma vie, mon existence, mon métier, est toujours là, dans mes entrailles. Mais je suis jeune, je me satisfais de ce que je vis. J'ai le sentiment de disposer du temps. Comment dire ? Je sens que cela va venir, d'une manière ou d'une autre. Je suis persuadé que j'ai encore le temps et aucune raison de m'affoler. J'ai tort. Le temps est rusé, retors. Il tarde, il louvoie, il traîne puis, d'un coup, il bondit et on ne peut plus le rattraper. Ou alors il faut donner un sacré coup de rein. Et c'est ce qui va m'arriver.

En dehors de ma vie diurne, en effet, il y a ma vie nocturne. Le monde de la nuit. Ce monde, j'y ai eu accès très tôt, par mon père. C'était côté coulisses. Puis, plus tard, je l'ai connu côté cuisine, quand, après mon expérience de serveur, je suis retourné aux Arcs où j'ai travaillé pendant une saison dans une boîte de nuit. Avec ma bande de copains, je l'ai abordé par l'entrée. Mais ce n'était pas encore la grande entrée. Côté jardin, certes, mais sur les plates-bandes, pas encore dans le parc, avec les invités.

Quand arrivent mes dix-huit ans, je n'ai pas de bac à passer mais une épreuve autrement plus rude à subir. Je rencontre une fille superbe. Sans doute avais-je déjà eu des amies (des petites amies, pour user d'une litote), mais sans vraie passion. J'étais trop singulier, pour la plupart d'entre elles et, de toute façon, plus intéressé par mes potes, par le rock, que par une fille. Mais là, c'est différent. Je découvre et j'éprouve un sentiment qui me bouleverse. Seulement, rien n'est simple.

Elle appartient à la bourgeoisie locale. Elle est sur le point de se marier. Tout est arrangé. Les parents ont donné leur accord. Et croyez-moi, dans ce milieu, la bénédiction parentale, et tous les projets qui vont avec, c'est quelque chose ! Mais, coup de foudre, elle plaque tout pour moi. Elle est belle. J'en suis fou. Seulement, moi, qui suis-je ? À cette époque ? Un vendeur de fringues dans un magasin. Mon énième métier. Quant à mon avenir, je n'ose pas en parler. Dans ces conditions, je ne peux pas lui demander de vivre comme moi. Je ne me sens pas la force ni le droit de demander à celle qui a déjà rompu son engagement de mariage, de renoncer à tout ce qu'elle est. Alors j'essaie d'assurer, de me hisser à son niveau. Ce n'est pas facile. Surtout quand vient le soir, la nuit, et qu'il faut se montrer.

Avant, j'allais en boîte pour m'amuser. Là, je tombe dans un monde où l'on ne s'amuse pas mais où l'on compte les bouteilles ; si on en a plus que les voisins, on est content, on a gagné. C'est le côté parc. Mais je n'y suis pas invité. Or, mes revenus, à l'époque, ne me permettaient pas vraiment de faire face ; le prix d'une bouteille en boîte, pour moi, était exorbitant. J'y dépensais presque toute ma paye. Et il y avait tout le reste encore !

Un an. Cela dure un an. J'oublie tout, la musique, ma bande. Je ne vois plus personne. Je change de monde. Je n'aime pas ce nouvel univers, mais je suis pris dans l'engrenage. Je trime pour l'argent maintenant. Et je n'en ai jamais assez. Un boulot, ce n'est pas suffisant. Alors j'en prends un second. Mais même ainsi... Je m'éreinte à vide. Je me pourris la vie pour rien. Enfin, pas pour rien. Pour elle. Un an ! Et au bout d'un an, la belle me quitte. Aussi soudainement qu'elle avait quitté son futur pour moi.

En un clin d'œil, tout s'écroule. Tant de sacrifices pour rien ! Je veux tout casser. Et je casse tout, effectivement.

Du jour au lendemain, les gens de ce monde qui n'était pas le mien me tournent le dos. Ils ne m'avaient pas accepté. Je l'avais senti, dès le début. Quoi que je puisse faire, je n'appartiendrai jamais à leur univers. Je n'étais pas « né ». Je le savais, mais à mon habitude, j'ai foncé. Cette fois, pas de luxation ou de foulure, mais une blessure d'amour-propre. D'autant qu'à faire l'imbécile pour « assurer » j'ai fini par perdre mes deux boulots et, à force de faire le « con », de vouloir tout casser, j'ai fini par me retrouver presque interdit de séjour sur la côte.

J'ai dix-neuf ans, et j'ai l'impression d'avoir « foiré » ma vie. Je considère mon passé. Où va mon existence ? Que sont devenues les promesses ? Qu'ai-je fait des espoirs que ma mère plaçait en moi ? Ai-je suivi les directions que mon père s'efforçait de me donner ? Je regarde, et je vois une vie éclatée, une vie qui part dans tous les sens mais qui ne construit rien. Cette école que je n'ai pas finie ; tous ces boulots par lesquels je suis passé sans jamais me stabiliser ; cet amour qui m'a échappé. J'ai 19 ans et tout à coup je me sens vieux. Alors qu'à cet âge un gosse « normal » vient tout juste de passer son bac et découvre la vie avec de grands yeux étonnés, moi, je suis buriné, blasé. Brûlé en vérité.

J'aurais pu désespérer. Je déprime, je plonge dans mes abîmes. Heureusement, le fond n'est pas ruiné : il contient encore, préservés, disponibles, mes potes et la musique. Je décide de renouer avec eux, et de me mettre en route pour accomplir le destin que je sentais œuvrer en moi. Pour me laver aussi. Me débarrasser des traces que cette année nulle avait posées sur moi.

Je le fais avec une grande humilité. Aussi bien dans mon retour auprès de mes amis que dans ma décision de me mettre en route. Je n'ai pas les moyens, je n'ai plus les moyens de « rouler les mécaniques ». Je n'ai pas le cœur à ça, d'ailleurs. Une grande humilité, donc, mais la rage au ventre. Une rage rentrée, à retardement. Je veux me prouver que je vaux mieux que ce que j'ai vécu. Assurer ceux que j'aime que la confiance qu'ils ont mise en moi est méritée. Et aussi – pourquoi le cacher ? – montrer aux autres, à tous les autres, à ceux qui m'ont tourné le dos, ce que je peux faire.

La révélation !

Ma bande m'accueille – mieux : me recueille. Elle ne m'en veut pas de mon incartade. Les liens, avec l'âge, les contraintes, les chemins divergents, se sont un peu relâchés ; Cédric vivote comme DJ ; Hervé travaille dans une station-service ; Greg est parti à Marseille où il fait les beaux-arts. Mais ils répondent présents. Tous.

Dans la compagnie de mes vieux potes, je retrouve mes assises, je me ressource, je me rassure. Le monde ne s'évalue pas en nombre de bouteilles. L'univers ne se réduit pas aux restos sur la Croisette et aux boîtes qui longent la côte. L'amitié comble ces « foutaises » bien au-delà de l'ennui qui en sue.

La peine que m'a infligée le départ de Mélanie s'estompe. L'image même de Mélanie s'éloigne. Elle se confond avec d'autres visages, se dissipe dans une ambiance enfumée, parmi des odeurs de cosmétiques, de billets de banque, d'alcool. Je distingue de moins en moins entre la blessure d'amour et la colère de l'échec. Je repousse tout en bloc dans ma mémoire. Je me tourne vers l'avenir. *New future.*

J'ai l'impression de renaître doucement, tout doucement. Je me sens en convalescence.

J'ai dégoté un petit boulot dans la station-service où travaille Hervé. Un peu contre son gré, je l'avoue. Mais j'y suis et j'entends y rester. Je lave les pare-brise. Ce n'est pas reluisant, d'un cafard mortel même, mais c'est mieux que rien, mieux que le mensonge amer qui a rempli mon existence durant une triste année. De toute façon, j'ai d'autres projets en tête.

En effet, l'épreuve que je viens de traverser m'a servi de leçon. Être moi-même, pas un autre, avec mes qualités et mes défauts, il n'y a que cela. Que je puisse me regarder dans la glace. Regarder en face ceux que j'aime et apprécie.

Mais être moi-même, cela veut dire faire quelque chose de mon existence. Ne pas continuer à me disperser, à me chercher, à attendre. Faire quelque chose !

Or, j'ai toujours eu dans l'idée de me lancer dans la musique ou même dans le théâtre, de monter sur scène en tous les cas. Il est juste d'avouer que cette idée ressemblait à un simple désir jusque-là. Une aspiration enfantine, une imitation du père, un enthousiasme adolescent pour Nirvana, oubliée, d'ailleurs, avec le reste, durant cette année où j'ai fait le zombi. Mais à ce moment je m'aperçois que ce n'était pas une tocade. La preuve, c'est qu'en dépit de tout, elle a mûri en moi. Elle a grandi. Elle s'est affermie. Et, à mesure que je me remets, que je reprends goût à l'existence, elle devient presque une certitude. Comme dans le regard de Kurt Cobain.

Le sens que je cherche à donner à ma vie est là. Ça ne peut pas être autrement. C'est la direction dans laquelle je dois m'engager.

Je n'en doute plus, un jour ou l'autre, je partirai. Quand ? Je l'ignore. Je n'attends que l'occasion. Mais je me sens comme un sprinter dans les starting-blocks. Que cette occasion se présente, et je fonce. Je me lave de toutes mes errances.

Voilà ce que je me dis en mon cœur. Il ne me manque plus que le petit coup de pouce.

Il se trouve justement que ce désir de faire de la scène m'avait poussé à m'inscrire – je devais avoir douze ou treize ans – aux studios de la Victorine, à Nice. J'y étais allé sans ambitions démesurées, pour faire de la figuration, et à l'occasion, peut-être, rencontrer quelqu'un qui me permettrait de continuer. Depuis lors, je n'avais été appelé que pour deux publicités et deux ou trois castings. Mais j'étais gosse à cette époque. Ensuite, silence radio. J'avais fini par oublier les studios de la Victorine.

Un soir comme les autres, de retour de la pompe, dans la lueur rouge du soleil couchant, je rentre chez moi. La maison est vide. Je ne reçois pas beaucoup de courrier, et moins encore d'appels téléphoniques. Je ne fais pas attention à la lampe témoin du téléphone qui clignote. Je traîne dans la maison en attendant ma mère. Lorsqu'elle arrive, je file sous la douche.

Assourdi par le bruit du jet d'eau, c'est à peine si je l'entends. « Steven, un message pour toi ! » C'est tellement rare, que je me précipite. Je sors de ma douche, en hâte, les cheveux mouillés, et je me jette sur le téléphone.

Il y a effectivement un message. Il m'est adressé. Mais ce que j'entends me laisse abasourdi : « Deux jours de figuration sur le tournage d'un film... Cours Salléya, dans le vieux Nice... Prendre plusieurs affaires différentes. »

Revenu de ma surprise, je contacte les studios. Pour vérifier. En savoir plus. Je tombe sur une secrétaire. Voix légèrement agacée. « Oui... Oui... Une grosse production hollywoodienne... Le nouveau film de Van Damme... Le maximum de gens pour les scènes d'actions... » C'est du sérieux ! Pas une pub, un film !

Vous pouvez sourire, mais je n'en dors pas de la nuit. Assis dans un fauteuil, j'imagine tout et rien, n'importe quoi. Le tournage, l'après-tournage, les engagements, la carrière... Je ne cherche même pas à savoir comment ils se sont souvenus de moi après tant d'années. Je me laisse envahir et ravir par tous les rêves qui me viennent.

Le jour venu, je m'apprête, mais pas comme pour aller à la pompe. Cette fois, c'est costume noir, trois pièces, cravate écossaise, noir et blanc, chemise col à l'italienne, et je m'embarque. Ma mère me dépose sur la promenade des Anglais, à quelques pas du cours Salléya.

Vous connaissez le film *Twister* ? Une tornade, au-dedans, c'est exactement ce qui m'arrive quand je débarque sur le tournage. La foule tout autour de moi, qui s'agite, qui remue, qui bouge, le réalisateur qui hurle dans son mégaphone, des coups de feu, une voiture qui brûle, les figurants qui se trémoussent de tous les côtés, une ambiance enfiévrée, et au milieu, le staff américain qui entoure ou protège les acteurs, avec Van Damme au centre. J'ai vingt ans, une grande gueule, je croyais n'avoir peur de rien, être aguerri, prêt à tout, mais au milieu de cette folie, je me sens minuscule.

Puis soudain, un grand calme, le cœur de la tornade. Un sentiment a percé en moi que je n'ai pas vu venir. Une évidence. Plus encore, une révélation ! Je suis chez moi ! Je réalise, ici, à cet instant, que je suis fait pour ça.

C'est comme une grâce, en vérité. La réponse à toutes les questions qui me hantaient s'impose, tyrannique. Tout ce que je pressentais, tout ce que je recherchais, est là, miraculeusement présent, sous mes yeux. Ce n'est pas de la fascination à proprement parler. Et surtout pas l'âpre désir d'être « comme eux », de devenir une vedette. C'est la confirmation, l'illustration que je ne divaguais pas en rêvant à la scène, la preuve, et au-delà.

Je n'ai pas fait un pas, et pourtant je me sens libéré, délivré du poids qui pesait sur ma vie, en paix tout à coup.

La journée se passe sous les ordres du responsable des figurants. Une journée magique, inoubliable. Rien d'extraordinaire, bien sûr. Le travail. Simplement le travail. Presque élémentaire : aller ici, attendre, courir là, faire masse, dans la foule, pour les arrière-plans, ou jouer le piéton anonyme. Pourtant, je vis des heures bénies, pleines, riches, sans questions, sans vide qui me taraude. Une journée qui s'étire et que je voudrais ne jamais voir finir.

Elle finit pourtant.

Arrive le soir. On appelle les figurants qui reviendront le lendemain. Je n'en fais pas partie.

Dans ma gorge, je sens un goût d'insatisfaction, d'injustice.

Sur le chemin du retour, je revois, encore et encore, le regard complice que m'a lancé Natasha Henstridge. Je me répète, encore et encore, les quelques mots que m'a jetés Van Damme. Ça ne peut pas s'arrêter ainsi ! Ma vie est là. Je ne dois pas la perdre.

Alors, dans la nuit, je me décide. J'écris une lettre que je confierai à Van Damme. Je lui dis mes ambitions, mes rêves et je lui donne mes coordonnées.

Le lendemain, je me rends sur le tournage. Ils sont tous là, Jean-Hugues Anglade, Natasha Henstridge, Jean-Claude Van Damme, le réalisateur, Ringo Lam, les seconds rôles, les troisièmes rôles, les figurants, les badauds. Tous. Comme la veille !

Bien sûr, on pourrait préférer, pour le standing, que l'histoire se passe avec un Robert De Niro, un Harvey Keitel, un Anthony Hopkins ou un Al Pacino. Eh bien ! vous savez quoi ? Cela ne m'a pas traversé l'esprit. Qui étais-je pour faire la fine bouche, le délicat ? Un provincial qui ne connaissait rien, qui travaillait dans une station-service à laver les pare-brise. Ce que j'ai devant moi me paraît suffisamment extraordinaire. Cela vaut en soi. Comme spectacle. Comme univers. Et c'est cela, cet univers merveilleux au centre duquel se trouvent des acteurs, cet univers vivant, plein de bruit et de fureur, c'est celà qui m'appelle, qui accapare mon attention, et non les détails de ma biographie.

Je m'approche en douce. J'ai troqué le costard pour le 501 et les Timberlands. Je me présente devant les barrières de sécurité. À mon grand étonnement, on me reconnaît et on me laisse passer. Natasha Henstridge, de loin, m'adresse un grand sourire. Je me sens pousser des ailes. Je m'approche de Van Damme. Personne ne s'interpose. Je suis derrière lui. Il se retourne. Il me reconnaît. Très professionnel, il me lance : « Hello, comment va ! » avec son accent US.

Je suis tétanisé. Mais je ne suis pas venu pour rien. D'une main tremblante je lui tends l'enveloppe. Il la prend soigneusement en me fixant dans les yeux, la range dans sa poche intérieure et s'éloigne. Je n'ai plus rien à faire ici. Je quitte le plateau. Je suis fier de moi.

Comme on m'a vu parler à Van Damme, on me salue quand je franchis de nouveau les barrières. Est-ce pour cela ou pour tout ce qui vient de se passer ? J'explose. Littéralement. Je me mets à courir comme un dératé. Les gens, qui me regardent, doivent me prendre pour un fada. J'ai l'habitude.

J'avise un monument, au milieu d'une place. J'y grimpe, comme un gamin. Je ne sais plus ce que je fais. Arrivé en haut, je jette un coup d'œil alentour. Dans un angle, vue plongeante sur le plateau. Et qu'est-ce que je remarque, là-bas ? Van Damme, à l'écart, qui lit ma lettre !

Je suis trop loin pour déceler sa réaction. Ce n'est qu'une image fugitive et le tournage reprend. J'attends un moment. Mon pouls finalement retrouve son rythme normal. Je descends de mon perchoir, et je rentre chez moi.

Je n'ai plus qu'à attendre maintenant.

Commencent les jours d'angoisse.

Soir après soir, de retour de la pompe, je vérifie le répondeur. Mais il n'y a rien. Rien. Désespérément rien.

Le feu qui s'est allumé en moi brûle toujours ; seulement, il se consume à vide.

Les journées passent, sans réponses, sans échos à ma lettre. Quand je déprime, je me dis qu'au fond c'est normal. Mais je me reprends toujours, et je me convaincs que ce sera demain ; oui, si ce n'est pas aujourd'hui, ce sera demain !

Cela dure ainsi un mois et demi. Un mois et demi de calvaire, dans l'attente et le doute. Un mois et demi avant qu'enfin je reçoive un message ! En anglais...

À l'intonation, c'est un Américain. Je le reconnais. Mon père m'a appris à distinguer les parlers anglais, les accents, et là, pas de doute, il s'agit bien d'un Américain. Il se présente : « John Sleeve », il veut parler à « Steven James Gunnell... Pour travailler à Paris et à New York... Faire des photos, et peut-être un film... » Et il me donne son numéro de téléphone : « 01 45 56... » La fin est inaudible.

Fébrile, je repasse immédiatement le message. Même chose. Impossible d'entendre les derniers chiffres. Je m'énerve. Je le repasse, encore. Une fois, deux fois, trois fois. Non, je ne les aurai pas. Je jette le combiné, et je me mets à hurler : « Pourquoi ? »

Ce cri me calme. Je réfléchis. Je ne pourrai jamais retrouver le numéro. Il y a trop de combinaisons. La seule solution : contacter les studios la Victorine. Peut-être connaissent-ils Sleeve ? Je les appelle. Non ! Ils n'en ont jamais entendu parler. Je raccroche.

Bon Dieu ! Que m'arrive-t-il ? Qu'est-ce qui est en train de me passer sous le nez ? Ce type… Mes coordonnées… Et en plus, il connaît mon deuxième prénom, « James ». Très peu de gens sont au courant. Je tourne et je retourne tout ça dans ma tête et j'en arrive toujours à la même conclusion. Ce ne peut venir que de la lettre que j'ai remise à Van Damme. Dedans, il y avait tout, mes deux prénoms, mon téléphone… Ce John Sleeve, c'est le retour que j'attendais !

Mais je ne peux rien en faire ! Je reste comme un « imbécile » dans mon fauteuil, entre les quatre murs de ma chambre, impuissant, pendant que, quelque part dans le monde, on attend de moi une réponse qui ne viendra jamais.

L'Opel Corsa, Greg et moi

Je me suis remis de ma déception, mais j'ai lâché prise, perdu pied.

J'ai la tête ailleurs.

Sans doute, je n'ai plus jamais eu de nouvelles de Sleeve, ni de personne d'autres d'ailleurs ; seulement, après cela, après le tournage, l'espoir, l'appel tronqué, je ne peux plus continuer à vivre comme avant.

Je quitte la pompe et me retrouve, de nouveau, sans travail. Je m'en fous. J'y vois simplement une raison de moins de rester dans la région ou, si vous préférez, une attache de plus qui cède.

Pour le dire plus crûment, je suis dans un tel état d'esprit que je ne supporte plus le coin. D'une certaine façon, d'ailleurs, je ne me suis jamais senti chez moi, ici. Bien sûr, il y a le soleil, la plage. Mais parfois, on dirait que c'est un empêchement à vivre. Le soleil, la plage, comme une rente, et on reste abruti à regarder la vie passer. Rentier à vingt ans, ce n'est pas mon truc ; l'idée m'oppresse plutôt. Si j'avais un peu d'argent, je partirais sur-le-champ. Mais je n'ai même plus la pompe pour gagner quatre sous.

Mon temps libre ou mon temps vide, comme vous voudrez, je le partage entre mes potes, ma passion pour la calligraphie et la solitude. Encore la solitude ? On ne se refait pas.

N'empêche, même si j'ai pu faire les pires bêtises, Dieu, comme l'appelait ma mère, ou Celui avec lequel je parle quand je suis seul, je ne l'ai jamais renié. Au vrai, et peut-être grâce à Lui, mes bêtises n'ont jamais été excessives. Quelque chose, toujours, me retenait, m'empêchait de glisser dans l'abîme. Même mes parents, que j'adore, et pour lesquels j'ai, et ai toujours eu, un profond respect, n'y auraient pas suffi. Il y avait, par-delà leur bienveillance et leurs exigences, quelque chose encore, ou Quelqu'un, sur quoi je venais buter. Je n'en avais pas clairement conscience. Mais si je me retirais toujours ainsi, en moi-même, c'est sans doute que je le pressentais.

Mais bon ! croire en Dieu, ce n'est pas, nécessairement, être un béni-oui-oui ou une grenouille de bénitier...

À cette époque, d'ailleurs, ma foi, comme tout le reste en moi, était en recherche. Je croyais avoir trouvé, dans le bouddhisme, un chemin. C'était presque ça. Pourquoi le bouddhisme ? Disons que l'Orient m'a toujours fasciné. L'Orient lointain : la Chine, le Japon. Depuis tout petit, je me suis senti attiré par l'univers des samouraïs ; non pas précisément par les arts martiaux avec leurs katas et leur violence mais, sans que je sache bien pourquoi, par tout le rite dont ils s'entourent :

le respect pour les maîtres, le culte des ancêtres, la concentration, la méditation. En grandissant, je suis passé de ces images à ce qui les justifiait, des exercices que pratiquent les moines de Shaolin au bouddhisme qui en est le fondement. Et je trouvais, dans ce bouddhisme, beaucoup d'éléments qui me convenaient : ça allait de la couleur safran qui domine en lui aux regards pleins d'une extraordinaire bonté de ses sages. Tout cela, à l'époque, me séduisait sans pour autant que je m'y engage vraiment. Il me manquait sans doute quelque chose que je n'imaginais pas encore. Le sentiment d'une présence réelle. Mais c'est une autre histoire. À ce moment de ma vie, dans le silence, je méditais, je dialoguais comme il était indiqué dans les quelques ouvrages bouddhistes que je lisais. Malheureusement, je ne puisais pas, dans ce qui n'était finalement qu'une forme de prière, la force qui s'y cachait. Le monde, autour de moi, avait perdu ses couleurs et rien, semblait-il, ne pouvait les lui rendre.

Rien, pensais-je ? J'avais tort. À la fin du printemps, mon Greg fait son apparition. Dans toute cette grisaille, c'est un véritable rayon de soleil. Greg : look surfeur, blond, fan de Mondino, Kounen, mon frère d'armes !
Il n'a pas l'humeur heureuse, lui non plus. Il n'aime guère Biarritz, où sa mère s'est installée. Il n'y trouve rien à faire. S'il n'y avait eu son travail, ses beaux-arts à Marseille... Nous avons la déprime en commun. Nous la noyons en commun.

Tous les jours, il passe me prendre. Nous allons à Saint-Paul-de-Vence, notre fief. Un village classé. Des musées, des artistes de rue, des remparts édifiés par François Ier, la petite chapelle Saint-Matthieu. Mais aussi bien un haut lieu hanté par une histoire plus moderne, par les ombres d'Yves Montand et de Simone Signoret, qui s'y sont mariés, avec Jacques Prévert et Marcel Pagnol pour témoins, de Chagall, de César, de Picasso, etc. Nous avons l'habitude d'y retrouver la bande au « Café de la place ».

Une fin de matinée ensoleillée, ce devait être un mercredi, nous sommes tous là, attablés à notre terrasse coutumière. Je l'ignore mais, ce jour là, mon sort va se sceller.

J'ai tellement évoqué mon départ, caressé son idée, que mes potes, saturés, m'ont demandé de mettre la pédale douce. Mais depuis l'arrivée de Greg, j'ai remis ça. Ce jour-là, pourquoi ? Par défi ? Par lassitude ? Ils me prennent au mot. « Tu veux partir ? Vas-y ! » Et Greg s'y met. Il me fait le planning. « Tu veux monter à Paris ? Faire des castings ? me dit-il. L'été, ce n'est pas bon. Ils sont tous partis à Ibiza. Viens avec moi à Biarritz. Tu fais la saison. Tu montes à Paris en septembre. » Pourquoi pas ?

Débat interminable, tout l'après-midi, entre potes, sur mon départ. Ça se termine par un : « Il faut que j'en parle à ma mère. » Et oui, on ne quitte pas une mère comme la mienne ainsi !

« Mais bien sûr, mon fils, fonce ! »
Je reste désarmé. Plus d'échappatoire.
Le lendemain, j'annonce ma décision. Tout le monde est là. Le soir, on part arroser ça.

Je n'oublierai jamais cette soirée. C'est parti dans tous les sens. Ça a dérapé. Ça s'est rattrapé. On s'est battu entre nous. On s'est réconcilié. On a été mis dehors. On s'est fait jeter des bars et des boîtes comme des malpropres. On a ri, on a pleuré. Un grand souvenir ! Avec mes meilleurs potes. Un cadeau de départ comme jamais je n'aurais pu l'imaginer. Comme s'ils voulaient tous me faire comprendre que je ne devais, en aucun cas, les oublier.

Au matin, je me lève avec la gueule de bois. Je suis d'attaque pour le grand départ, mais tout de travers. Trop pressé, je pousse comme une brute ma valise qui fait voler en éclat le pare-brise arrière de la petite Opel rouge de Greg. Il ne m'en veut pas. Seulement, on a beau être en juin, c'est une journée pourrie, sous la pluie. Bon, opération gaffeur et carton, on répare, sous le regard désapprobateur de ma mère. Puis on démarre pour une brumeuse traversée, d'est en ouest. Plus de dix heures de route sous la pluie avant de rejoindre Biarritz. On est malade comme des chiens. Combien de fois a-t-on dû s'arrêter pour... rendre l'âme ? On manque même, de peu, de se faire rectifier le portrait par des routiers. Je serais incapable, aujourd'hui, de dire ce qu'ils nous reprochaient. Je ne vois plus la fin de ce voyage.

Soudain, les panneaux routiers commencent d'indiquer Biarritz !

Lorsque l'on y arrive, c'est le crépuscule. Je sors de la voiture. Je me déplie. Je suis impressionné par ce que j'ai devant moi.

Je contemple, en effet, pour la première fois, l'océan Atlantique. Le spectacle est titanesque. Il a cessé de pleuvoir, mais la mer est démontée et le ciel, lourd, couvert de nuages épais. Pourtant, le soleil, extraordinairement puissant, arrive à percer cette masse et illumine la côte ainsi que tout l'arrière-pays. Dans le grondement des vagues qui déferlent, je me chauffe à son feu.

Je n'ai pas un sous en poche, mais je viens de faire mon premier pas. Je sais que la suite sera difficile. Ça n'a pas la moindre importance. Je suis tout en bas, au plus bas, et c'est très bien ainsi. C'est par là qu'il faut commencer. C'est comme cela que mes parents m'ont appris à voir les choses et c'est comme cela que je les vois. Je ne rêve pas d'être une vedette, une star. Bien sûr, la tête m'a tourné quand j'ai vu les immenses propriétés qui tapissent la côte. Mais je suis parti pour autre chose : pour faire de la scène mon métier.

Et je suis parti ! Oui. Sur cette plage, je prends conscience que je viens de faire un saut, et que je ne peux plus m'arrêter. Je suis fier. Je l'avoue. Je suis heureux. J'ai confiance dans mon avenir.

L'euphorie va vite se dissiper. Trois semaines passent. Je ne trouve pas de travail. Allez savoir pourquoi. À croire que ma « gueule » ne revient pas aux patrons du coin. Rien ne marche. Je ne tiens pas deux jours dans un boulot. Des boulots mal payés, d'ailleurs. Mes parents m'envoient quelques subsides. Ils ne peuvent pas faire grand'chose. Greg m'héberge dans son appart.

Quand je ne fais rien, le plus souvent, je traîne. Je regarde la télé. Je découvre un nouveau phénomène, le boys band. Le premier groupe s'appelle Worlds Apart. Il est suivi par les 2 Be 3 et les G. Squad. Ridicule. Je me marre. Je n'ai rien d'autre à faire. Un jour que je médis de ces boys bands grotesques, Greg, mi-sérieux, mi-moqueur, me regarde : « Je te verrais bien faire ça ! » Je sursaute, profondément outré par l'idée et je pointe un doigt accusateur vers l'écran : « Moi, ça, jamais ! Plutôt crever. »

Mais je ne passe pas mon temps devant l'écran. Je m'énerve aussi. Je ne comprends pas. Pourquoi, après ce premier pas, ce saut, qui était le plus difficile, me retrouvé-je dans cette impasse ? Pas de travail, pas d'argent, pas même de quoi me payer un billet pour Paris ! À quoi servait-il de partir ? Je traverse une crise. Pour la première fois – autre nouveauté –, je m'en prends à Dieu. Je me brouille avec lui.

Ma mère me demande avec insistance de revenir. Pour prendre un nouveau départ, au lieu de tourner en rond à en devenir fou. Je la comprends. Je pleure. Mais je résiste à son appel. Non, je ne reviendrai pas !

Et là, je réalise que c'en est trop, que mon séjour ne peut plus durer. Je n'ai qu'une seule solution : partir au plus tôt de cet enfer. Ne pas attendre septembre mais fuir au plus vite. C'est une décision paradoxale, puisque j'ai à peine de quoi manger, mais de la prendre me requinque et me remet sur les rails.

Heureux hasard ou grâce divine ? Dans les jours qui suivent cette décision, je rencontre une jeune fille charmante. Elle n'est pas du coin. De passage dans la région. On sympathise. Je lui dis mes intentions. Elle désire

m'aider. Elle m'achète un billet, aller simple pour Paris !
Le mois de juin touche à peine à sa fin.

Mon train part à 12 h 05. Direction Montparnasse.
J'ai bu un dernier café avec Greg. À Paris, quelqu'un
m'attend : Jean-Claude Forgeas, le fils d'une amie de
ma mère. Il me donnera le gîte.

J'ai cinq heures de trajet. Cinq heures pour penser. Je
me remets en marche. Tout doucement. Mais j'avance.
Paris, c'était ma destination première. La raison et le
but de mon départ. Biarritz, un détour où j'ai failli
m'enliser. Biarritz à présent disparaît dans les nuées. Je
suis en train de franchir le second pas.

Le train m'entraîne. Je me sens bien ! Peu importe,
maintenant, ce qui en résultera. Je suis en route. Je
suis en chemin pour accomplir mon engagement, et
c'est assez. Même si je rentre dans un mur, si je me
« plante », j'aurai au moins tenté l'aventure. Je serai
allé au bout de moi-même. Je ne serai pas resté un
velléitaire, les fesses rivées à une chaise, à la terrasse
d'un café, à rêver ma vie jusqu'à la vieillesse. J'aurai
évité ce pathétique songe éveillé. Comme mon père,
comme ma mère, je suis parti.

Pour le reste ? Nous verrons bien. D'abord, Paris. Si
cela ne marche pas à Paris ? J'irai plus loin. À Londres.
Si cela ne marche pas à Londres ? Plus loin encore… Je
suis parti. Ce n'est pas pour revenir.

Comme une souris dans un labyrinthe

17 h 05, Montparnasse ! J'ai atteint le bout du monde. Moi qui n'avais pratiquement jamais fait que des allers et retours entre Provence et Haute-Savoie, je débarque dans la capitale. Je me sens provincial ici, comme sur le tournage de Van Damme, mais ici, je suis autrement ému et singulièrement à l'aise.

J'éprouve, en effet, une sensation bizarre, troublante, en mettant le pied sur le quai de la gare : je me sens chez moi. Tout de suite. Je ne sais pas pourquoi. Parce que tout le monde ici a l'air un peu perdu ? Parce que personne ne regarde l'étranger comme un animal exotique ? Parce qu'il n'y a personne pour vous faire remarquer que vous n'êtes pas du pays ? Ou est-ce parce que j'ai décidé de réussir ma vie dans cette ville ? Quoi qu'il en soit, je me sens bien, vivant.

Jean-Claude habite Maisons-Alfort, en banlieue. À cette époque, Paris, banlieue, je ne fais pas la différence. Il partage un deux-pièces avec un pote, Thierry.

Il a beaucoup changé. Autrefois, nous nous bagarrions. Aujourd'hui, il appartient aux forces de l'ordre et il me reçoit chez lui. Je découvre, en plus, qu'on est sur la même longueur d'onde.

Le soir même, on se ballade rue Montorgueil. Mon sentiment se confirme. Ce ne sont pourtant que des rues, des immeubles, des gens... guère différents de Cagnes, Nice ou Biarritz. Mais il y a, comment dire ? une odeur. En bas, et malgré la mer, flottait comme une odeur de renfermé, qui a disparu ici. Il y a d'autres odeurs, c'est juste, mais pas celle-là.

On atterrit dans un pub anglais. Intérieurement, je salue mon père. On boit des Guinness et on parle, jusque tard dans la nuit.

Je suis à peine arrivé que je me retrouve entouré par des gens qui me sont proches, dont je me sens proche, dans une ville que j'aime déjà. Avec ce que je viens de vivre à Biarritz, c'est le jour et la nuit.

7 h 30, le lendemain.

Je saute du canapé, métamorphosé. La lumière m'a réveillé. Du salon où je dors, on peut voir Paris, au loin, derrière le périph. Jean-Claude m'a expliqué la topographie des lieux. Le métro, le plan de la ville, les quartiers, la carte orange. Je contemple l'horizon. Je ne me sens pas Rastignac. Je sais qu'en plus, l'été, juillet-août, n'est pas la meilleure saison pour les démarches que je veux entreprendre. « Tous à Ibiza ! » disait Greg que j'ai laissé à Biarritz. Mais quelque chose me pousse. Je trouverai bien des petits trucs, ici ou là. Je prendrai des contacts. Jusqu'à la rentrée.

Avec mes cheveux longs, mon jean et le press-book qu'un pote photographe m'a concocté à Cagnes, je me sens d'attaque.

Première expérience du métro. Ligne 8, Balard-Créteil. Je suis impressionné, quand même. Tout au long du trajet, je reste le nez sur le plan. Les stations défilent. Arrive Madeleine. Sous le coup d'une inspiration, je descends. Au sortir du métro, en haut des escaliers, le premier édifice qui me tombe sous les yeux, c'est l'église de la Madeleine. Choc. J'y perçois quelque chose comme un « signe », comme si cet édifice sacré qui s'imposait devant moi voulait me dire que Dieu agréait ma démarche.

Le choc passé, j'avance, au hasard, au *feeling*. Rue Royale, rue du Faubourg-Saint-Honoré. Je me sens toujours aussi bien. J'ai quelques adresses d'agences trouvées dans les « gratuits » parisiens. À moi de me débrouiller.

Cela fait à présent quinze jours que j'arpente les rues de Paris, dans une chaleur étouffante à laquelle je ne suis pas habitué et je n'ai rien dégoté. Les trois quarts des agences sont fermées. Celles qui sont ouvertes me refusent. Littéralement, elles me refoulent : « Trop petit », « Trop laid », « Trop anglo-saxon », « Pas assez... » Ou alors : « Remplissez le dossier, on vous rappellera. » L'inscription ne coûte que cinq mille francs ! Et il faut aussi un press-book. Je suis content, j'en ai un. « Pas question. Nous, on ne travaille qu'avec des professionnels. » Évidemment ! C'est cinq mille francs de plus, pour le book !

Alors, c'est ça, l'univers que je voulais conquérir ? Ce n'est pas ce que j'imaginais. Pas ce que j'ai connu sur le tournage, à Nice. Plutôt un monde où tout est fait pour vous briser, vous humilier, plein de coups bas, dur, agressif. Je ne demande pourtant pas la lune. Je n'insulte personne. Je ne fais pas de caprices. Et puis, c'est l'été, la saison des plaisirs, de la détente.

Pourtant, pas un mot amical, pas un regard sympathique. Rien qui ressemble à un encouragement, à du réconfort. Pas un même un conseil.

J'en viens à me demander si c'est trop exiger, vraiment, qu'on me mette sur une liste. Mon nom, simplement, sur une liste. Pour que je puisse faire des castings.

Je fais le tour des agences comme des ANPE. Et il y a toujours quelqu'un, confortablement installé dans ses locaux design, pour me rembarrer. On dirait que tout est fait pour vous désespérer. C'est peut-être volontaire. Allez savoir. C'est peut-être un test ? Pour éprouver les volontés. Se débarrasser des faibles. Si c'est ça, ce n'est pas mon truc.

À moins que ça ne vienne de moi. Je suis peut-être trop véhément, trop nature, trop « rock'n'roll », comme on dit chez nous. Tant pis. Je ne peux pas me refaire le portrait moral. Mais je peux l'amender, l'assouplir. Parce que je suis bien décidé à ne pas rompre. Plier, peut-être, mais ne pas rompre.

Le soir, parfois, je rentre fourbu, éreinté, abattu d'avoir couru en vain, d'avoir frappé à des portes closes.

Je fais part de mon amertume à Jean-Claude et Thierry. Ils ont un regard très lucide sur mes ambitions, mais chaque fois ils me réconfortent. Il n'en faut pas plus pour réveiller l'évidence qui sommeille en moi, la certitude que quelque chose va m'arriver, et me permettre de me remettre en route le lendemain.

Quinze jours donc que je galère quand je me présente rue de la Tour, dans le 16e. C'est une agence qui vient de se monter. La déco n'est pas encore finie. C'est limite glauque. Je sonne, je rentre.

La « bookeuse » me reçoit. Elle me sourit et se présente : « Ingrid ». C'est rare. Sympathique. Mais je ne me sens pas à l'aise. L'endroit ne m'inspire pas confiance. Il a un côté bras cassé, amateur, qui m'inquiète.

Évidemment, j'ai tout faux puisque c'est là, dans cette agence, dans ces locaux inachevés, que ma vie va basculer.

Toujours souriante, Ingrid m'invite à m'asseoir. On se fait si facilement à la gentillesse des gens qu'on finit par oublier combien c'est agréable. Ce jour-là, j'y suis sensible.

Contrairement à l'habitude, c'est elle qui me raconte sa vie et celle de l'agence. Une ancienne agence de mannequins qui se reconvertit en agence de jeunes comédiens. Elle vient tout juste d'ouvrir. Les gérants sont dans le cinéma et le théâtre. Ils étaient à l'étranger, mais ils ont décidé de s'installer en France.

Je l'écoute, poliment. Dans le fond, cette histoire ne m'intéresse guère. Je suis content pour les gérants, mais ce que j'attends, moi, c'est qu'on me prenne et qu'on me trouve du boulot. Que je sorte du trou !

Ingrid, elle, continue. Une vraie pipelette. Et que je suis l'un des premiers sur leur liste, hormis les anciens qui sont restés, bien sûr, et que ceci, et que cela. Je suis scié par son entrain, son enthousiasme. Mais petit à petit son bagout et son intérêt me mettent en confiance. Elle ne m'a pas rembarré, elle. Je me demande si, finalement, ce ne serait pas la bonne adresse, cette fois ?

C'est mon tour de parler. Je lui décris ma passion pour la scène, ma révélation, mes galères aussi, et mon besoin pressant de travailler. Je déballe tout. Sans calcul, avec beaucoup de naïveté. Je m'enflamme peut-être. Je ne sais pas. J'ai simplement l'impression de dire ce que j'ai sur le cœur. Finalement, elle me demande de lui remettre mon book. Elle le feuillette. Son visage s'assombrit. Mon cœur se serre. Misère. C'est reparti. Mais, contre toute attente, elle lève la tête : « C'est bon pour moi. Je te mets dans nos dossiers. » « Comment ça, c'est bon ? Quels dossiers ? Qu'est-ce que ça veut dire ? » Je n'arrive pas à y croire. J'ai besoin d'être sûr, qu'on me mette les points sur les *i*. Elle me répond : « Je t'inscris. Tu fais partie de l'agence. Comme jeune comédien. C'est ce que tu veux, non ? » Je bégaye. Je n'arrive pas à dire oui.

Dans la rue, j'exulte.

Enfin !

Il ne me manque plus que de commencer à tra-vailler. Je lève les yeux au ciel pour remercier Dieu de la grâce qu'il vient de me faire. À Biarritz, quand tout semblait aller de travers, je me suis un peu fâché avec Lui. Je me suis rapidement réconcilié. Depuis mon arrivée à Paris, je le sens tout proche.

Maintenant que les choses prennent tournure, je m'aperçois combien tout est allé vite, très vite. Lorsque l'on n'a rien, quand tout est fermé, sans perspective, sans direction, chaque minute pèse un siècle. Or, à la vérité, il y avait à peine plus d'un mois, j'étais en train de me morfondre à Cagnes-sur-Mer, pris au piège d'une vie sans avenir. Quel chemin j'avais fait en si peu de temps !

Bien sûr, je n'avais toujours pas de ressources, pas un sou en poche, pas de travail, pas d'appartement, je ne connaissais pratiquement personne, n'étais connu de personne, je ne savais pas les codes du milieu, ceux du monde parisien, ceux du métier d'acteur, du show-biz ; mais j'étais bien décidé à ne pas m'en laisser compter. J'apprendrai tout cela comme j'apprendrai mon métier.

Première et dernière audition

Quelques jours plus tard, je repasse à l'agence, au cas où quelque chose aurait bougé. Il n'y a rien pour moi, mais je fais la connaissance de Pascal et Nathalie, les patrons. Nous sympathisons. Ils se montrent chaleureux. Ils apprécient mon franc-parler et ma décision de tout quitter pour tenter l'aventure. J'ai le sentiment, de mon côté, qu'ils sont vrais, authentiques. Assez vite, nos liens se resserrent.

J'en profite pour pousser Ingrid. Elle ne m'a sans doute pas véritablement cru lorsque, la première fois, je lui ai fait part de l'urgence dans laquelle j'étais vis-à-vis du travail. Car, malgré toute sa bonne volonté, rien ne se présente.

Aussi, de désespoir, parce que j'avais tout misé sur cette agence, et que je ne voyais rien venir, je décide de la mettre au pied du mur.

Je le fais à ma manière, sans dissimulation, ouvert, direct, un peu brusque. Je lui dis ma situation, crûment.

Je lui raconte que je n'ai rien. Pas d'argent. Pas de travail. Que je suis hébergé mais que cela ne peut pas
durer infiniment. Je lui explique que je suis prêt à faire
n'importe quoi pour sortir de ce cul-de-sac. Je veux dire
n'importe quel travail. Je la supplie. Qu'elle me laisse
faire le ménage de l'agence. Au moins ça. Le soir, la
nuit. Quand elle veut. Je la pousse. Je la presse. Finalement, elle craque. « Ça va ! Ça va ! Tu sais chanter ? »

Je tombe des nues. Un instant le silence s'installe, un
silence de mort. Je ne sais pas quoi répondre tellement
je suis surpris par ce qu'elle me demande. Enfin, je bre-
douille : « Bien sûr. Et danser aussi. » Et je démarre, à
mon habitude, au quart de tour. Mon père, le rock'n'
roll, la scène, les bœufs avec lui quand j'étais petit, le
groupe de hip-hop que j'ai monté quand j'étais gosse...
Elle me stoppe : « Ho, là ! Me raconte pas ta vie ! Tu
vas rentrer chez toi, calmement. Parce que je te trouve
un peu tendu. Et tu attends que je t'appelle. »

Quoi faire d'autre ? J'obtempère. Mais je suis scep-
tique. En posant le pied sur le trottoir, je me demande
si elle ne se moque pas de moi. Que signifie cette histoire de musique ? L'agence, c'est pour des comédiens.
Je flaire l'embrouille. Mais je me dis qu'il n'y a aucune
raison qu'Ingrid me fasse un coup fourré. Je hausse les
épaules. On verra bien. Au pire, elle « oubliera » de
m'appeler.

Je me trompe, lourdement. Dans l'après-midi, le
téléphone sonne. C'est Ingrid. Son histoire n'est pas
du bidon. Je ne comprends pas très bien ce qu'elle me
raconte sur le moment, mais en gros il ressort qu'il y
aurait un projet déjà bouclé dans lequel l'un des types

retenus ferait des siennes. « Des siennes ? – La grosse tête. » Ingrid le connaît, il vient de son agence et c'est vrai, selon ses dires, qu'il n'est pas facile à gérer. Mais ce n'est pas la question. Elle a parlé de moi au directeur de casting. Il accepte de me rencontrer. Demain, à l'agence, 14 h 30.

La vache ! Un casting ! Je n'en reviens pas. Avant de raccrocher, Ingrid m'a dit de préparer une chanson pour juger du timbre de ma voix, et pour savoir si je suis juste. Évidemment que je vais me préparer. Je suis venu à Paris pour ça !

Mais le lendemain, je n'ai rien préparé et j'ai une heure d'avance. Je n'ai pas dormi de toute la nuit et je suis très nerveux. J'ai toujours été nerveux. Avec le trac, ça ne s'arrange pas.

Je me présente à l'agence, Ingrid est seule. Le directeur de casting va arriver. Je dois attendre. J'attends. Je fais les cent pas. Ma nervosité croît. La porte d'entrée s'ouvre dans mon dos. C'est à peine si je me retourne. Je suis ailleurs. Je ne prête pas attention à celui qui s'avance dans le couloir. Je le salue quand même, par automatisme, et je reprends mon arpentage. De toute façon, le type, qui doit avoir vingt-cinq ans, n'a rien d'extraordinaire. Rien qui attire et retienne le regard. Il me dépasse, échange quelques mots avec Ingrid et tous deux s'enferment dans un bureau.

Moi, qui avais la tête vide, qui n'arrivais à penser à rien, je réalise tout à coup. « C'est lui ! Bon Dieu ! » Et là, je m'inquiète. Comment l'ai-je salué ? Était-ce poli ? Suffisamment ? Ai-je fait bonne impression ? Une envie irrésistible de me regarder dans la glace m'étreint. Je veux savoir à quoi je ressemble, comme si je ne me connaissais pas !

« Steven ! » Ingrid, dans l'encadrement de la porte, me fait signe de venir. Je ne sais plus très bien de quoi j'ai envie à présent. J'avance pourtant, d'un pas mécanique. Ingrid s'efface. Elle n'assistera pas à l'audition. En passant la porte, j'enregistre le décor. Il restera gravé dans ma mémoire.

La pièce fait six, sept mètres carrés maximum. Rien sur les murs ripolinés de blanc, tout frais. L'odeur de peinture flotte encore dans la pièce. Elle me donne la nausée. Au centre, un petit bureau noir sur lequel repose un téléphone qui n'est pas branché ! Autour, trois chaises. Noires elles aussi. C'est presque morbide.

La porte vient tout juste de se fermer derrière moi qu'aussitôt le type m'interpelle ; il le fait sur ce ton que j'ai déjà connu, sec, suffisant, presque ennuyé : « Nom, prénom, âge, numéro de téléphone et adresse ! »

À l'instant même, toute ma tension s'évanouit, dissipée, en fumée. Le type, son ton, son attitude, m'a refroidi. Là, tel que je me sens, je suis sur le point de tourner les talons et de partir. Après lui avoir foutu une mornifle pour le fun. Mais en fait, je suis tellement calme, refroidi, qu'au lieu de partir, je réponds posément à toutes ses questions.

À son tour, il se présente. Yvan Aimée DeKleim. Ça ne me dit rien mais ça sonne beaux quartiers, grosse famille. Yvan Aimée ! Il n'y en a pas beaucoup de par chez nous. Et ça m'impressionne. J'imagine tout de suite un projet à gros budget. Il continue. Il représente le groupe GLEM, Gérard Louvin et Daniel Moyne. Il auditionne en leur nom. Comme le projet n'est pas bouclé, il ne veut pas m'en dire plus.

Pas plus que son nom, ceux de GLEM, de Louvin ou de Moyne n'éveillent le moindre écho chez moi. La veille, durant la nuit, j'ai réfléchi. J'ai fini par conclure qu'il devait s'agir d'un petit rôle chanté dans un film. Comme je ne comprends rien aux noms qu'il me lance et qu'il ne veut pas s'étendre, je reste persuadé que j'auditionne pour le cinéma.

Les présentations sont faites. Son ton redevient impératif et m'arrache à mes songes. Dans le lointain, j'entends un : « Maintenant, tu chantes ! » suivi, après un bref silence, d'un : « S'il te plaît, bien sûr. »

Chanter ? Ah oui ! Mais je n'ai rien préparé. Et la situation n'incite pas au fantasme ou à la créativité. Alors, j'improvise. Non, en vérité je n'improvise pas, je chante la première chose qui me vient à l'esprit. En l'occurrence, *Faith*, de George Michael. Ça ne s'invente pas. Je n'en connais presque pas les paroles, mais c'est ce qui s'impose à moi.

Le début est soigné, la note juste. Mais, à la fin du premier couplet, survient le trou de mémoire ! Pourtant, je ne peux pas arrêter. Alors, j'improvise. Imitation à l'américaine. Puis le refrain. Celui-là, je le connais, depuis mes 14 ans. Ensuite, le second couplet. Comme le premier, il m'échappe. Alors, j'y vais au culot. Je reprends mon « yaourt ».

Plus je chante, plus DeKleim se tasse sur sa chaise. Il esquisse même un sourire. Il se moque de moi ? Je ne le crois pas. Son regard est celui d'une personne plutôt agréablement surprise. Ce que je vois m'encourage mais j'aimerais quand même en finir. Heureusement, il intervient, fait cesser mon supplice. « C'est bon, j'ai ce qu'il me faut. »

Je m'effondre sur la chaise pour reprendre mes esprits. Lui, dans son coin, prend des notes. Son visage s'est refermé. « Parfait, lâche-t-il enfin. On vous appellera d'ici une semaine. Merci encore. »

Je me lève. Je quitte la pièce.

Dans le couloir, soudain, je me sens totalement ridicule, et humilié : je vaux mieux que ce que je viens de montrer. Je le sais, mais à quoi bon ? Ingrid me rejoint. En m'accompagnant à la porte, elle me glisse à l'oreille qu'elle me contactera dès qu'elle aura des nouvelles.

Dans le métro qui me ramène à Maisons-Alfort, je prends la mesure du désastre. Alors, j'ai fait tout ce chemin pour ça ? Je ne peux pas y croire. Bien entendu, ils ne m'appelleront pas. Misère ! Je me suis grillé tout seul. Après un tel échec – et si ridicule ! –, Ingrid ne voudra plus jamais me faire passer d'audition. Comment en suis-je arrivé là ? Tous mes rêves, partis en fumée ! Mes prétentions ? Grotesques ! J'ai échoué minablement dans une audition minable. Mais ce qui me fait le plus mal, ce n'est pas mon échec. Non ! C'est que, maintenant, je n'y crois plus. Je ne peux plus y croire. C'est cela le pire. Après tout ce que j'ai enduré, je me plante au premier essai ; ce qui veut dire que je ne suis pas fait pour ce métier…

Puis mes pensées changent, pour se faire plus sombres encore, si c'est possible. Mes parents, mes potes, ceux qui m'ont aidé ici, à Paris, que vont-ils penser de moi ? Comment vais-je soutenir leur regard ? À cette idée, une vague d'angoisse me submerge ; une vague atroce qui me noue la gorge.

Tout cela sans compter que je suis très mauvais perdant. J'ai toujours été tel. Détestable, quand je perdais, prêt à tout détruire, tout ravager, même ce qui me tient à cœur. Il m'est impossible de supporter la défaite, l'idée même de la défaite. Or là, c'est celle du siècle. Comme jamais encore je n'en ai connu !

Quand je sors du métro, je suis en miettes. Je ne vois pas de solution à ce qui m'arrive. L'horizon est bouché. Le vide. La défaite s'étend partout sur mon existence. Finie la scène, les engagements, les castings ; je viens de donner. Fini Paris aussi. Pas plus qu'à Biarritz, je n'ai réussi, ici, à trouver de travail et je ne peux plus continuer de squatter l'appartement de Jean-Claude. Il n'y a plus de raison, maintenant, pour que je m'impose. Ni Jean-Claude ni Thierry ne m'ont fait la moindre remarque mais, dès mon arrivée, j'ai senti, en moi-même, que ça ne devait pas trop durer. Dès les premiers jours, je me suis dit que je n'avais pas le droit d'abuser. Après un tel échec, je n'ai vraiment plus ce droit. Alors, fini Paris. Retour à la case départ. Londres ? Je n'y songe même pas. La confiance m'a déserté. Je suis à sec. Je me sens inutile. J'ai l'impression que mes ambitions sont dépourvues de raison, sans espoir. Non, ce n'est plus la peine. Je n'ai plus la force. Je suis groggy.

Dans l'appartement, je m'effondre. Cette fois ce n'est pas pour reprendre mes esprits, mais pour pleurer de tristesse et d'amertume. Je n'ai plus que les larmes. Celles qui lavent l'âme. Et elles me lavent.

Je retrouve mon calme et je m'aperçois que j'ai faim. Je me lève pour me préparer un en-cas. En passant à côté du téléphone, mon regard est attiré par la lampe témoin qui clignote : un message. Je ne l'ai pas remarqué en arrivant. J'étais trop bouleversé. Instinctivement, j'appuie sur la touche « Lecture ». Je reste pétrifié. C'est Ingrid. Elle demande que je la rappelle, d'urgence.

Pour quoi faire ? Pour prendre encore un coup sur la tête ? Néanmoins, j'oublie ma faim et mes appréhensions. Je suis trop tendu pour attendre. J'appelle.

La voix d'Ingrid est étrange. Je m'inquiète. Le semblant d'espoir qui m'était revenu disparaît. « Qu'est-ce qui s'est passé, tout à l'heure, dans le bureau, avec DeKleim ? Tu peux me dire ? »

Que me veut-elle, avec son ton accusateur ? Limite accusateur peut-être, mais dans mon état... Je le lui demande. Je lui raconte ce qui s'est passé, et je lui demande de m'expliquer le pourquoi de ce ton ?

Au bout du fil, un bref silence, puis Ingrid éclate de rire : « Pourquoi ? Pourquoi ? Parce que tu es pris ! »

Silence de nouveau mais là, involontaire. C'est moi qui reste sans voix. Ingrid reprend son monologue. Je ne l'entends plus. Je flotte. Je ne suis plus moi-même. Séparé. Comme lorsque l'on fait l'expérience de la mort mais que l'on n'est pas mort. C'est pareil pour moi. Je flotte. Je suis au plafond. Je me vois, le combiné collé à l'oreille, tout recroquevillé. Mes cheveux longs, frisés, comme s'ils étaient des algues jaunes qui me poussent sur le crâne.

« Allô ! » Ingrid est en train de hurler. Je hurle à mon tour, par réflexe, pour décompresser. Je hurle comme un dément. Je fais tomber le combiné. Je le ramasse. Je continue de hurler ou je bafouille. Je ne sais plus. Tout à coup, douche froide ! Ingrid me parle. Elle ironise : « Steven, tu es pris. Le reste n'a pas d'importance. Ce qui s'est passé dans le bureau, tes "affaires de garçons", ça ne me concerne pas ! » Je tique. Je comprends ce qu'elle insinue, et me mets en rogne. Ou plutôt, je rentre dans son jeu, je me remets à brailler. Pour rigoler. On est trop heureux tous les deux : « Tu te fous de ma gueule, j'espère ! Qu'est-ce que tu imagines… » Elle me coupe : « Rien. Rien du tout. C'était pour te faire redescendre, ma loute. »

J'ouvre la bouche pour répondre. Je me tais. Son truc a marché : je suis redescendu. Mais j'ai envie de parler, de dire quelque chose, n'importe quoi.

Ingrid est heureuse pour moi, je le sens. Alors, je lui raconte à nouveau l'audition, mais de mon point de vue. Subjectif. Angoissé. Mon trou de mémoire, mon « yaourt » à l'américaine… Elle me transmet les impressions de DeKleim, qui a aimé le timbre de ma voix, mon regard, qu'il trouve sincère et profond, et qui a été séduit par mon côté aznavourien, par le fait d'avoir quitté ma province pour me lancer à Paris. Ça dure ainsi une demi-heure.

Fou de joie, j'appelle ma mère dans la foulée. Je lui raconte, je m'enflamme, je mélange : l'audition, mes

impressions, le retour, Ingrid. Finalement, elle m'interroge : « Tu es pris dans quoi ? » Bonne question !
Put… C'est vrai ! Je ne sais toujours pas. Dans tout ce
ramdam, je n'ai même pas pensé à le demander. Pour
un film, bien sûr ! Je me laisse aller à l'engouement.
J'assure une grosse production. Une grosse distribu-
tion aussi. Énorme. De toute manière ce sera énorme.
Et j'en fais partie. C'est l'essentiel. Mais quand même,
j'aimerais bien savoir, moi aussi.

J'ai toujours cru que j'étais de ceux que le regard
des autres laisse indifférents : quand je voulais faire
quelque chose, je ne m'en souciais pas. Faire le guignol
dans la rue, sous le regard ébahi des voisins ne me
gênait guère. Mais c'est une illusion dont on se berce.
Une vanité qui ne tient pas. Je réalise, tout à coup,
juste après avoir raccroché, tout le poids du regard. Je
m'aperçois que la joie et la fierté que manifeste ma
mère à l'annonce de ma réussite m'engagent, plus que
tous mes désirs, sur le chemin que je viens de prendre.
Pour elle, pour la fierté qui l'anime, je ne peux plus
reculer. Je dois me lancer, à fond. Apprendre, me
former, grandir. Aller jusqu'au bout. Me rendre digne
de cette fierté. Quel que soit le projet dans lequel je
suis engagé.

La gifle !

Toute la nuit, la question de ma mère me turlupine. C'est vrai ! Dans quoi étais-je pris ? Dans quelle production ?

Au lever, c'est décidé. Il faut que je sache. Je ne peux pas attendre. Je dois savoir où je mets les pieds, savoir ce que je peux espérer. Je ne dois plus rêver dans tous les sens mais mettre de l'ordre dans mon esprit, donner un contenu au film dans lequel je vais tourner, et, pourquoi pas ? commencer aussi à me préparer, sérieusement.

Vu les mystères et les airs de conspirateur d'Ingrid et de DeKleim, j'imagine que je n'apprendrai rien par téléphone. Alors je me déplace. Je me rends à l'agence. J'espère coincer Ingrid et lui faire « cracher le morceau ».

Mais c'est elle qui me coince. DeKleim vient d'arriver et il souhaite me voir ! Tant mieux ! Je vais enfin connaître le fin mot de l'affaire.

« Alors, content ? » me demande DeKleim, avec un grand sourire un peu pincé. Bien sûr que je suis content ! Pourquoi dirais-je le contraire ? Mais j'ajoute, j'insinue aussi que j'aimerais savoir… Avoir des détails… Enfin… Savoir de quoi il s'agit.

Il est d'accord pour me le dire. Il a quelques trucs à régler avec Ingrid, mais ça peut attendre… À cet instant, je ne sais trop pour quelle raison, ou si j'ai eu un pressentiment, mais je joue le grand seigneur. « Non, non. Faites ce que vous avez à faire. C'est moi qui peux attendre. »

C'est vrai que je peux attendre. L'audition à marché, je suis pris ; dans quelques minutes, DeKleim va tout me dire. Je ne suis plus pressé. Et puis, ça peut paraître drôle mais je me sens un peu chez moi dans l'agence ; et DeKleim, même s'il papote à voix basse avec Ingrid, même s'il est le type qui m'engage, DeKleim me fait l'effet d'un tard venu, de celui qui débarque et avec lequel on est poli, naturellement.

Mais il insiste : « Comme ça, ce sera fait. » Bon ! S'il est impatient de se libérer de son secret, allons-y.

Nous passons dans le bureau qui a servi pour l'audition. Toujours cette odeur de peinture fraîche. Cette fois, j'y fais moins attention.

La porte se referme. DeKleim, déjà assis, se lance : « Ingrid m'a parlé de toi. De tes antécédents. De ton père. Donc, on est bien d'accord, tu as un certain penchant pour la scène et le *live*. »

J'écarquille les yeux. Seigneur Dieu ! Je suis éberlué. Le *live* ! Alors, ce n'est pas du cinéma. C'est quoi ? J'ai peur de comprendre.

Je m'assois avant qu'on me le propose. J'ai besoin d'être assis, je sens que j'en ai besoin. Mais j'essaye tout de même de répondre. Ce n'est pas le moment de flancher, de mettre tout par terre. Je bafouille. Je m'égare dans mon passé. Je me fais peur, à m'entendre lui raconter ma vie. J'abrège. « Oui. Tout ça pour dire que oui, ça ne me fait pas peur... La scène, le *live*... Mais pour quoi ? »

Là, il me jette, comme si je venais de gagner le gros lot : « Pourquoi ? Parce que tu es pris dans un groupe ! »

Je suis peut-être assommé, mais mon esprit fonctionne encore. À les regarder, le Yvan et l'Ingrid, je vois bien que le groupe dont il parle ne sera pas du style Pearl Jam ou Soundgarden. Ça serait plutôt... Mais je ne veux pas y penser. Dans quoi me suis-je fourré !

Ce qui vient, ce qui va nécessairement venir, je ne veux plus l'entendre. Ma curiosité est tombée, vidée. J'en sais déjà trop. Je partirais bien, là, maintenant. J'irais bien prendre l'air. Refaire l'histoire. Mais ils ne me lâchent pas. Ils ont pourtant dû la voir, ma mine déconfite, mon appréhension. Ils font comme si de rien n'était. DeKleim, même, se jette dans des explications : GLEM, la « prod », Louvin, TF1, la maison de disques, Moyne, les artistes du Groupe, Florent Pagny, Vanessa Paradis, Pierre Palmade, Muriel Robin, les émissions, la radio, et l'histoire, les débuts, Claude François, dont Louvin a été l'attaché de presse...

Plus il parle, plus je me décompose. Au-dedans. Au-dehors, je ne sais pas. DeKleim tourne autour du pot. Je le sens. Ça m'inquiète. Plus encore que le reste.

J'attends ce qu'il va me lâcher. S'il me prépare ainsi, c'est que c'est dur à avaler. Il me fait miroiter le monde. C'est visible. Il m'amène sur la Lune. Mais depuis quelques instants, je suis un bloc de pierre, incapable de m'envoler, de le suivre dans ses nuées.

J'attends. C'est tout. Il continue. Son ton change. Maintenant, je dois avoir compris. Ceux qui sont derrière tout ça sont des professionnels. Des vrais. Ils savent ce qu'ils font. Avec eux, avec leur puissance, leurs relations, leur savoir-faire, les médias qu'ils ont entre les mains, l'habitude du métier, etc., ça ne peut que marcher. Ce sont les meilleurs !

Bon. Et alors ? Qu'est-ce qu'ils ont en tête ?

On arrive à l'instant crucial, je le sens à son intonation ; en filigrane, j'entends : « Ce que je vais te dire risque de ne pas te plaire. » Mais ce ne sont pas les mots qu'il prononce effectivement. Ce qu'il dit ? « Je ne sais pas si tu as regardé la télé ces mois-ci. Si tu l'as fait, tu as pu voir la montée d'une nouvelle vague dans les émissions de variété… »

Je m'accroche à mon fauteuil. J'ai bien une réponse qui me vient mais je ne veux pas la formuler. Si je me trompais ? S'il s'agissait d'autre chose ?

« Et sur les ondes, continue DeKleim. Partout. Un carton. On les appelle les boys bands ! »

Boys band… Le mot est lâché. Une gifle ! Misère ! Pu… de bord… de mer… ! Pourquoi ça ? Pu… Je voulais juste travailler ! Je croyais que c'était pour le cinéma. Maintenant, je suis foutu. Je ne peux plus dire non. Après ce que j'ai claironné hier soir à ma mère ! Impossible. Il n'y a pas trois semaines, à Biarritz, je me « foutais de leur gueule », aux boys bands. Et Greg qui me branchait en me disant qu'il me verrait bien faire ça... Et moi qui répondais : « Plutôt crever ! » Il n'y a pas un mois ! Et maintenant... Mais je n'ai pas le temps de soliloquer. DeKleim, qui a lâché l'info sans que j'éclate, ne se sent plus. Il me dit que mon timbre de voix lui a plu, et mon culot ; qu'en outre, il est en train d'en changer deux, dans le groupe, deux qui commencent, selon son expression à « les lui briser ».

Ici, j'aurais dû tiquer, réaliser, au ton, aux mots, aux mimiques de DeKleim, ce que nous étions pour eux, ce que j'étais dans ce projet. Comprendre qu'on pouvait me prendre et me recracher comme ça. Que je n'étais rien. Une machine à trimer, à rapporter du fric. Un rouage pour monter un groupe qui marche, qui cartonne au Top 50. Et surtout, que si je voulais rester, il ne fallait pas que je la ramène. Surtout pas que je commence à « les leur briser ». Mais rien. Je ne percute pas. Je tombe des nues. Je suis en apnée. Je comprends sans vouloir admettre. Je pense à ma mère. À mon père, à Greg, à mes potes, pas à moi. Pour couronner le tout, à cet instant, l'assistante d'Ingrid vient frapper à la porte.

L'autre, DeKleim, il me regarde intensément, d'un air de dire : « Alors ? Qu'est-ce que tu en penses ? » Moi ? Je bégaie : « D'accord... D'accord... Mais... Je veux prendre le temps d'y réfléchir. » C'est tout ce que je trouve à dire.

DeKleim acquiesce. Mais il me met la pression. Je ne dois pas réfléchir trop longtemps. Parce que le groupe doit être prêt en septembre, à la rentrée, et qu'il doit travailler le titre, la chorégraphie...

Sur ces mots, je m'éclipse. Sourire et poignée de main crispés.

Dehors, j'hésite. Je ne veux pas rentrer. Pas tout de suite. Je m'installe à une terrasse. Réfléchir ! Tu parles ! J'ai bien compris. Il faut que je donne ma réponse, et vite. Mais quoi !

D'un côté, rien. Le vide. Le néant. Et tout le monde qui compte sur moi, qui affabule déjà sur mes exploits, ma réussite. Et pas sans raisons, je dois le reconnaître ! Avec ma naïveté, mon enthousiasme incontrôlable, je les ai bien aidés.

De l'autre, ma première rencontre, ma première ins-cription dans une agence, ma première audition. Réussie. Contre toute attente. La mienne, notamment. Et des promesses, et du lourd, qui pourrait m'aider par la suite. Maison de disques. Producteur. Moi qui ai toujours rêvé faire de la scène !

À cet instant me reviennent des images des 2 Be 3 à la télé. Bon Dieu ! Leurs chemises satinées ! Je ne peux pas ! Non ! Pourquoi ne me suis-je pas rasé le crâne ou fait tatouer ? Pourquoi je tombe là-dessus et pas sur Tarentino ? Que va dire mon père ? Et mes potes ? Ils vont tellement se marrer que je ne pourrai plus les regarder en face !

D'un autre côté, tous mes efforts m'ont conduit à ce point. Pourquoi, sur un coup de tête, parce que cela ne me plaît pas, renoncerais-je ? Qu'est-ce que je connais de ce métier ? Qu'est-ce que j'en sais, d'un boys band ? Ça ne me plaît pas ! Rien ne m'oblige à continuer dans cette lignée. Cette histoire est un coup. Rien qu'un coup. Je peux en tirer profit. Je peux apprendre avec des professionnels, des vrais ! Je souris.

Mais dans le fond, oui, pourquoi pas ? C'est l'occasion pour moi de rencontrer des gens, de m'aguerrir, de me former au métier. Au début, je voulais faire de la musique, non ? C'est l'occasion. Et n'étais-je pas prêt à commencer par le bas de l'échelle ? C'est l'occasion, encore. Boys band, c'est comme un bas d'échelle…

Ce n'est pas difficile à comprendre, n'est-ce pas ? Là, à cette terrasse parisienne, dans le soleil matinal de ce jour d'été, les pensées qui me tournent dans la tête reviennent toujours au même point. Je les prends, je les jette, je les retourne dans tous les sens mais, dans le fond, je ne fais que me persuader d'accepter. Plus exactement, je commence à justifier, pour moi-même, la décision que j'ai déjà prise sans le savoir.

Pour être tout à fait honnête, je ne me mentais pas vraiment en cherchant des arguments. C'est vrai, ma naïveté me faisait imaginer des choses, le succès, l'argent, la gloire, que sais-je ? Oui, elle me poussait à succomber à la tentation, à l'offre de DeKleim. Et oui, je l'avoue, bien que je l'aie vu venir, DeKleim, avec son discours, son miroir attrape-mouche, ce qu'il m'a conté m'a quand même affecté. Je me suis un peu laissé avoir, ce jour là, par le clinquant, les paillettes qui miroitaient à l'horizon. J'ai d'autant moins honte de l'avouer, d'ailleurs, que ceux qui jurent leurs grands dieux que ça ne leur arrivera jamais sont les premiers à plonger.

Mais à côté de ça, j'avais aussi la ferme intention de tirer profit de la situation pour apprendre, entendez pour me jauger, pour évoluer, pour faire autre chose dans la même direction : de la musique, de la scène, un titre solo… Je ne savais pas encore très bien.

Donc, c'est décidé. Je me jette.

Je quitte la terrasse. J'appelle l'agence pour donner mon accord à DeKleim. Puis, je contacte ma mère. Elle explose de joie. Mon père. Là, je redoute. J'ai tort. Il est à fond derrière moi. Tout va bien. Je me sens non seulement rassuré mais soutenu. Ma décision est la bonne !

Le lendemain, pour la première fois de ma vie, je me retrouve en studio, pour préparer la maquette du groupe dont, désormais, je fais partie.

Un piège se referme sur moi dont je n'ai nulle conscience. Celui de la facilité, du trop d'argent, trop de célébrité, et d'une image. Une image qui me restera, qui me collera à la peau, même quand j'aurai perdu tout le reste.

Rencontre du troisième type

D'entrée, j'ai une impression très nette : je détonne. Je veux dire que je ne suis pas exactement dans le ton.

Avant de franchir la porte du studio, j'ai fourré le rock, le grunge et l'extrême, bien au fond de mes poches, et je me suis composé une tête. Par nature, je joue bien. Je suis bon acteur. Ce n'est pas une fanfaronnade de ma part. C'est un fait. J'aime jouer, des imitations le plus souvent, et ce depuis tout petit. Je me glisse dans la peau des personnages, comme on dit, et ça marche. On me l'a répété. J'en ai eu de nombreuses preuves. C'est même pour cela que je croyais en mes chances dans le cinéma. Mais là, le handicap est trop lourd. Immédiatement, je m'en aperçois, dans le regard des autres. Non qu'il soit malveillant, ce regard, mais il a un air de dire, sans même que la personne en ait conscience : « Tu n'es pas à ta place. On t'a percé à jour. Tu n'es pas de notre monde. »

Maintenant que j'y réfléchis, je me dis que c'est normal. Je pouvais faire ce que je voulais, je pouvais me plier à la plus extrême discipline, mais je ne pouvais pas dissimuler entièrement que faire partie d'un boys band n'était pas un truc naturel pour moi. Et là se trouve, peut-être, la différence – qui ira en s'accentuant – qui me sépare des autres membres du groupe. Eux, ils coïncident parfaitement avec le projet. Moi, dès les premières secondes, je suis, et je resterai toujours en décalage. Pas rebelle, entendez. Parce qu'il s'agit pour moi aussi de tenir ma place dans ce projet. Et je suis prêt à y travailler. Ce que je ferai, d'ailleurs, avec assez de sérieux pour aller jusqu'au bout. Mais, à l'évidence, ce n'est pas une finalité dont je puisse me satisfaire.

Qu'importe, au moment où je passe la porte, quand je réalise que je détonne un peu, je n'ai pas ces réflexions. Je me dis simplement : « Bon. Faudra faire avec, mais ce n'est pas gagné. »

Les autres sont là, Brian, Alexandre et Roman. Ils ont le genre mannequin. Ils me paraissent plutôt à l'aise et je n'ai pas le sentiment qu'ils ont quelque chose au fond de leur poche, eux, ni qu'ils sont effrayés à l'idée de faire partie d'un boys band. Mais c'est une première impression. J'attends de voir.

On se présente rapidement. On échange quelques mots. Mais on n'est pas là pour s'amuser. On doit faire les voix du *single*. Que l'on devienne potes, que l'on essaie de créer une unité, de donner un sens à notre groupe, ce n'est pas l'affaire de la production. On est des boys band, pas une équipe de football. Que l'on réponde présent, que l'on fasse ce que l'on nous dit de faire, cela suffira largement. Ah ! j'oubliais : et qu'on ne la ramène pas trop.

Je ne sais pas pour les autres, je ne les connais pas encore assez mais, pour ma part, il ne me vient même pas à l'idée de la ramener. Je suis tout à la découverte du monde et du métier qui s'ouvrent à moi.

Donc, on fait les voix.

J'accomplis mon office en m'abstenant de juger. Maintenant que j'ai accepté la proposition, fini les jugements de valeurs. Je m'applique plutôt à observer, à faire du mieux que je peux, à apprendre. C'est tout ce que l'on me demande. Alors, ça va pour moi et pour les producteurs. Et même, moi qui ai toujours été très sensible aux ambiances, aux relations entre les gens, à l'amitié simplement, je me dis que, dans le fond, les rapports distants qui s'installent dans le groupe m'arrangent plutôt et me permettent de me concentrer sur le travail, exclusivement.

Après les voix, on déménage. On se retrouve dans les sous-sols de l'agence, pour répéter la chorégraphie sous les ordres d'Ingrid ! Eh oui ! Petit monde.

Quand je découvre les « locaux », pour être franc, je me dis que c'est un rêve, que je vais me réveiller. Imaginez-nous en train d'esquisser des pas de danse, de sauter, de nous accroupir, d'écarter les bras, de tourner… dans une pièce pas plus grande qu'un bureau ! C'est tout juste si on ne se rentre pas dedans. Oui, s'il n'y avait pas eu le baratin de DeKleim, j'aurais pu me croire dans un canular, un vidéo-gag.

Ingrid, peu à peu, devient notre nounou. DeKleim passe de temps à autre. Il fait beaucoup d'efforts pour se faire apprécier. J'ai du mal mais je passe outre. Je me consacre au travail. Hormis Ingrid et DeKleim, on ne voit pas grand monde de la maison mère, si bien que, malgré le labeur, je n'arrive pas à croire que tous ces efforts déboucheront sur quelque chose de concret, de sérieux. Enfin, je ne pense pas, à ce moment, que tout cela est vain, mais le côté répète dans les sous-sols ne me donne pas l'impression que cette histoire ira bien loin. Et, comment dire ? ça me rassure presque.

Après quelques semaines de ce régime, mes appréhensions de rocker sont bien loin. Ce truc de boys band, je le prends comme un job. C'est d'autant plus facile que les autres agissent de même. On se retrouve le matin. On travaille durant la journée. On se sépare le soir. Chacun rentre chez lui, qui chez ses parents, qui dans son appart... Pour ce qui me concerne, je squatte toujours.

Et même, pour tout dire, pendant qu'on répète, je demande à Ingrid de me trouver d'autres castings.

Ce n'est pas très malin. J'ai déjà un engagement. Mais sait-on jamais...

Ce n'est pas que j'en oublie ou néglige le groupe qui est en train de se mettre en place. Seulement, à ce moment précis, vu le peu de rapports extra-professionnels que nous avons, Brian, Alexandre, Roman et moi, si tout devait s'arrêter demain, je ne le ressentirais pas comme une profonde tragédie.

Fin de l'été. Tout est « prêt ». On le croit du moins. On peut se présenter devant les producteurs.

À cette perspective, l'ambiance change, insidieusement. Le discours de DeKleim sur le groupe, GLEM, sa puissance, son professionnalisme, redevient d'actualité. Les ambitions et les rêves refont surface. La tension monte.

C'est le moment que choisit Daniel Moyne pour nous faire sa première visite. Je découvre un personnage élégant : de l'allure, de la « classe », style et façon Hugh Grant, avec plus d'expérience sous un teint hâlé. On a dû l'arracher à son yacht, parce qu'il n'a pas l'air d'avoir envie de rire. Ce serait plutôt du style : « Je n'ai pas de temps à perdre, je veux voir du professionnel. Pas de chichi pas de blabla : que du résultat ! » Il aura fallu une petite demi-heure pour que nous lui montrions où nous en étions. Puis, le grand seigneur nous invite... à boire un « verre » pour faire les présentations.

Nous avons droit au boniment convenu sur le métier. Travail, sérieux, endurance, politesse. Bref, du politiquement correct, avec, comme message essentiel, qu'avant tout, il faut bien se tenir. Évidemment, sitôt fini le speech moralisateur, je commande une bière. De l'alcool ! Daniel Moyne tique et, avec lui, toute l'équipe. Regards en coin, réprobateurs. Je m'en fous. C'est quoi, ces gens ? Ils ne vont quand même pas m'interdire de boire une bière ! Finalement, nous nous séparons, non sans avoir pris rendez-vous pour la présentation officielle.

Arrive l'heure H. Nous découvrons les studios de GLEM, plaine Saint-Denis. À l'étage, on débarque dans une immense salle de danse. Elle sert aux chorégraphies. Pour y arriver, nous avons traversé les plateaux qui servent aux mises en scène des show télévisés, aux émissions, etc. J'ai été impressionné.

On nous laisse nous échauffer deux heures. C'est long. En ce début de carrière, je partage la tête du groupe avec Brian. Peut-être parce que nous avons des caractères plus marqués que Roman ou Alexandre, ou parce que nous paraissons plus confiants.

Arrive le staff, les chefs, les décideurs. En rang d'oignons, une file de costards trois pièces descend dans les travées et s'installe dans les rangées, face à la scène, en silence. On dirait des empereurs venus au spectacle des gladiateurs assister à la curée. Ma belle confiance s'évanouit. Je ne les regarde pas, trop occupé à observer le manège qui se déroule sous mes yeux, mais j'imagine qu'il en est de même pour ceux du groupe, et aussi pour Ingrid, DeKleim et les patrons de l'agence. Non, je ne regarde pas les autres, fasciné, je l'avoue, par tout ce monde venu nous juger ; pourtant, je sens que là, dans ce face à face, nous faisons corps. Un bloc contre un autre, en quelque sorte. Qu'on le veuille ou non. Ceux de la scène, unis, ensemble, face à ceux des rangées. Unis par la mémoire des deux mois que l'on vient de partager, unis par le défi que ces patrons, assis en silence, devant nous, nous jettent. Il n'y a plus de différence hiérarchique. Nous sommes tous pareils devant nos juges.

Pour ajouter à l'ambiance, les présentations sont rapides, glaciales. Gérard Louvin, Daniel Moyne, Philippe Renaud, le directeur artistique du label Baxter,

Bobby Smart, son assistant, le grand chorégraphe, Redha, et d'autres encore, dont je n'ai pas retenu le nom, qui travaillent pour Mercury Universal. Showbiz, pas show-biz, les patrons sont partout les mêmes. Ce sont eux les patrons, vous devez le savoir, vous devez le comprendre, et tenir pour une grâce que ces terribles augures tolèrent que vous travailliez dans leur groupe.

Ingrid nous positionne sur la piste de danse. Elle est blanche comme un linge. DeKleim est allé s'asseoir à côté de Moyne. Il ne bronche pas d'une oreille.

La musique démarre : *Let it go*, notre premier single, qui deviendra *Baïla*. C'est parti. Pour trois minutes et demie. Dès les premières notes, le premier accord, l'adrénaline me secoue de la tête au pied et balaye le trac qui me sciait les jambes. Je ne pense plus à rien. Je me sens bien. C'est tellement inattendu que ça me bouleverse. J'explose. J'envoie tout ce que j'ai dans les tripes. Je suis déchaîné. Sans doute devons-nous paraître stupides, avec notre enthousiasme, notre ardeur. Mais c'est aussi ce qui fait notre force et ce qui va nous sauver.

Dernière note. Dernier mouvement. On s'immobilise, à peine essoufflés. Voilà, c'est fini. Personne ne s'est trompé. Personne n'a été ridicule, sinon le concept lui-même. Mais pour ce qui en a été de chacun d'entre nous, carré jusqu'au bout. De ce point de vue, nous avons été parfaitement respectables. Tous. J'insiste. Et je le ferai chaque fois qu'il le faudra. Je le ferai parce que j'ai vu de près ce que donne la confusion dans le jugement, même chez les meilleurs, les authentiques, ceux du moins qui se disent tels. La confusion du concept avec les personnes, qui fait tenir les personnes pour ridicules alors que c'est le concept qui est ridicule. Eh bien ! il n'en est rien. Le concept est ridicule ? D'accord. Mais les personnes, c'est à voir. En l'espèce, en cette occasion, aucun d'entre nous n'a été ridicule. Nous avons fait ce que nous devions faire. Aussi bien que n'importe quel acteur esquissant un bout de scène sur les tréteaux d'un théâtre.

Ingrid, d'ailleurs, nous rejoint pour nous féliciter discrètement. Un mot glissé dans le creux de l'oreille. C'est à peine si je l'entends. Les autres, les juges, se sont mis à parler entre eux. La tension est encore pire qu'au début.

Je n'ai pas le trac. Je ne suis pas même inquiet. C'est autre chose. J'attends. Je ne peux plus rien faire. C'est pile ou face. Les autres n'en mènent pas plus large.

Enfin, Louvin se lève et prend la parole : « Avant tout, je tiens à féliciter ces quatre jeunes gens qui ont tout donné et qui ont sacrifié leur temps à ce projet. Messieurs… Bravo ! »

Ce n'est pas grand-chose, mais ça fait chaud au cœur. Une attention qui me le rend sympathique. On me le présentait comme un pro, il montre qu'il en est un. Et il continue, dans le même sens. Il nous refait un peu le speech de DeKleim sur la nouvelle mode, la tendance, etc., mais lui, prérogative de patron, il va au bout, sans fioritures, et sans mensonges. Voilà, le groupe veut se positionner, occuper le créneau. Compris, ce n'est pas une entreprise philanthropique ni du romantisme. D'un autre côté, ça a le mérite d'être clair et cohérent. C'est une boîte de prod, et nous, un produit qu'elle lance sur le marché. On accepte ou on n'accepte pas, mais une fois qu'on accepte, on se plie à la logique. D'autant que ça veut dire aussi que tout sera fait pour que nous réussissions. Et dans le fond, que demander de plus ? Mais Louvin ne s'en tient pas là. Il est venu nous dire les choses en face, pas nous dorer la pilule. Il ajoute donc : « Je vous préviens, avant toute chose, ne vous attendez à rien ! Ça a plus de chance d'échouer que de marcher du feu de Dieu. Vous êtes tombés dans un des milieux les plus difficiles qui soit. Mais vous êtes entre les mains d'une équipe prête à tout pour mener ce projet à la réussite. » Ces paroles achèvent de me convaincre.

Je me dis, comme on le dit chez nous : « Celui-là, il est loin d'être con ! » Son discours intelligent, rempli de bon sens, lui donne en outre un aspect « patron qui retrousse ses manches » qui n'est pas pour me déplaire

Et puis, nous avons compris autre chose encore. À travers son discours, Louvin nous fait entendre que notre groupe Alliage est validé. Enfin, que son projet Alliage est validé.

Deuxième étape franchie. Deuxième audition réussie. Mais cette fois, à un autre niveau. Projeté dans le monde réel. Et là, je peux dire, vraiment dire, que c'est parti. Je ne sais toujours pas grand-chose des gens avec lesquels je vais travailler, ni du milieu dans lequel je vais me lancer, mais je sais deux choses, de première importance : d'abord que je vais signer un contrat d'artiste qui mettra enfin un terme à mes galères, ensuite que si je m'y prends bien, si j'écoute, si j'apprends, je pourrai faire quelque chose de mes ambitions, réellement quelque chose, avec les gens qui sont là, devant moi.

Quand nous quittons le studio, chacun savoure la victoire. Nous n'avons pas besoin de parler. Nous prenons rendez-vous pour le lendemain, plongés dans nos rêves respectifs. Aucun de nous ne se doute de ce qui nous attend. De la rapidité et de la violence du succès qui nous guette au coin du bois. Pas plus d'ailleurs Louvin, et toute sa horde, avec leurs années de métier, lui qui était sincère lorsqu'il nous disait de nous préparer à l'échec !

À l'image de GLEM

Après notre passage dans les studios du groupe, Daniel Moyne, le président du label Baxter, la maison de disques GLEM, nous prend officiellement en main. Il devient alors notre directeur artistique, notre coach, notre nounou. Pour l'instant, ça se passe plutôt bien. Lisse, je dirais. De toute façon, il n'y a pas de raison, pas encore de raison, pour que naissent des tensions, des conflits. Le *single* n'est pas encore sorti. On ne sait toujours pas si ce sera un succès.

Oui, ça démarre en douceur. Moyne nous pousse à resserrer les rangs. Il veut qu'on crée une harmonie de groupe, qu'on se connaisse, qu'on se lie. Cette attitude me touche. Elle va dans la direction de mes sentiments les plus profonds. Je ne peux pas vraiment travailler sans amitié. Et je me rapproche de lui. Je lui suis gré de son élan, de sa volonté d'instaurer un climat familial entre GLEM et Alliage et entre les membres du groupe. Décidément, je ne regrette pas mon choix et je me sens de plus en plus en confiance.

On continue donc de tout préparer, avec application et sans exigence. Sauf qu'on varie un peu les plaisirs. On ne se contente pas de répéter la chorégraphie. Demain, par exemple, on doit se retrouver du côté de Strasbourg-Saint-Denis chez un photographe.

On attaque la pochette. Ce sera nos quatre « trognes » plein écran. J'avoue qu'à cette idée, je suis excité comme un gamin à qui on vient d'offrir un camion. Imaginez ! Ma tête dans tous les bacs, aux quatre coins de la France ! Je n'en reviens pas. C'est même disproportionné. Parce qu'en dépit de toute cette agitation, de toute cette préparation, ma situation matérielle n'a pas changé d'un pouce.

Je n'ai toujours pas reçu de rémunération pour les efforts fournis. Je le comprends bien d'ailleurs et je ne demande rien. Mais cela fait que je reste sans le sou. Pas de quoi prendre une piaule. Alors, je continue de squatter chez Jean-Claude et Thierry et de vivre d'espoir et d'eau fraîche. Et même cela, je sais que ça ne va pas durer. Jean-Claude est sur le point d'être muté. Thierry, seul, ne pourra pas assumer le loyer de l'appartement. Et ce n'est pas moi, avec rien dans les poches, qui pourrais l'aider. Il faudra qu'à un moment ou un autre je me débrouille autrement.

D'un autre côté, avec le projet, et tout ce qu'il exige de nous, je n'ai guère le temps de songer aux dépenses.

Dans ma tête, si j'anticipe de plus en plus l'avenir, je suis toujours celui que j'étais. Je ne feins pas d'oublier qu'il y a quelques mois, je travaillais à une pompe, dans les environs de Cagnes-sur-Mer, à briquer les pare-brise, et qu'il y a quelques semaines, je galérais sans emploi ni projet. Autant dire que les choses les plus simples me font encore tout drôle. Comme de prendre un taxi, par exemple. Ce que j'évite. Question de sous, mais question de mental aussi. Je ne conçois pas de dépenser tant d'argent à cela alors qu'on peut prendre le métro, faire marcher sa carte orange.

Ces détails mis à part, tout va bien. Tout continue de rouler. Je ne regrette pas ma décision. D'autant moins, à présent, que l'on est sur les rails. Je me dis que l'environnement est bon, l'ambiance sympathique. Je constate que les gens autour de moi sont sensibles non seulement au talent mais aussi, et peut-être avant tout, au travail. Et ça me va parfaitement. J'ai peut-être été renvoyé de l'école, n'empêche que je suis un bosseur. Pour le talent, je pense en avoir. Je sais, c'est encore à prouver. Mais j'ai bien l'intention de le faire. Je me demande même si ce n'est pas la situation que je préfère. Récolter les fruits d'un labeur, les fruits mérités j'entends, c'est extraordinaire. Mais, en même temps cela veut dire que c'est fini. Après le show, rideau ! Tandis que travailler, dans de bonnes conditions, avec une fin clairement définie et concrète, une finalité réelle ; travailler, s'améliorer, en profiter pour apprendre, pour se former, pour s'enrichir, c'est remporter victoire sur victoire. Savoir que demain cela va recommencer, que l'on découvrira quelque chose de nouveau, c'est ce qui me plaît.

D'ailleurs, même dans mes pires moments, je ne renoncerai jamais à l'ordre et à la discipline que je me suis donné depuis toujours. Levé à huit heures.

Méditation quand j'en ai le courage et l'inspiration. Et dès neuf heures, dehors. Au taf.

Ce regain d'énergie que me procure la situation me permet de me récupérer. Dans le tumulte des derniers mois, j'avais un peu négligé mes retraites, mes moments de solitude. J'y reviens. Je retrouve mon dialogue intérieur. À l'image de cette période de ma vie, ce dialogue est une action de grâce. Je remercie Dieu de m'avoir aidé, de m'avoir guidé jusque-là. J'en profite pour le remercier aussi de m'avoir permis de renouer le dialogue.

Aujourd'hui, comme prévu, on se retrouve à Strasbourg-Saint-Denis, pour la photo de groupe. Celle que l'on va mettre sur la pochette du *single*.

Ponctuel, j'arrive le premier. Enfin presque. Je rencontre Roman sur le trottoir. C'est souvent comme ça. Avec Roman, on est synchro. Juste après, déboulent Ingrid, Brian et Alexandre.

On monte ensemble. Dans le studio-photo, surprise ! Daniel Moyne et Bobby Smart sont là, accompagnés d'un autre garçon !

Daniel Moyne nous accueille. Puis il nous présente le garçon. Il est typé, très baraqué, et s'appelle Quentin.

Malaise.

Mon instinct m'avertit qu'il se passe quelque chose. Et je ne suis pas le seul à le sentir.

Mais je suis encore très naïf. Je débarque dans le métier, dans le milieu, pas dans la vie, sans doute, mais vu le contexte, c'est presque ça. Aussi, ingénument, parce que je ne vois pas très bien ce que ce type fait là, ni pourquoi il est en train de se maquiller comme s'il allait participer à « notre » séance photo, parce que, sincèrement, je n'imagine pas du tout ce qui va suivre, je m'approche de Daniel Moyne et je lui demande, tout à trac, qui est ce garçon, et pourquoi il est là.

C'est alors qu'avec un souverain mépris, Moyne me fait signe de m'éloigner en maugréant juste un : « T'occupe ! »

Balancé, renvoyé ainsi dans les cordes, je reste un peu groggy. Je découvre, à mes dépens, une autre facette du métier. Bobby Smart me prend à part. Il essaye, maladroitement, de rattraper le coup. La prod hésiterait sur le nombre, me fait-il entendre. Quatre, cinq. On n'était pas fixé.

Ouais ! Peut-être. Pourquoi pas ? C'est à voir. Quatre, cinq. Mais on aurait pu nous prévenir, nous en parler, plutôt que de nous mettre ainsi devant le fait accompli, comme des petits soldats de plomb que l'on bouge comme on veut. En plus, je n'apprécie pas le ton avec lequel Moyne m'a rembarré. Mais pas du tout.

Du coup, toute mon excitation disparaît. Le projet s'éloigne ou je m'éloigne, je ne sais pas. En tous cas, un fossé se creuse. La tournure que prennent les choses me déplaît.

Refroidi, je me mets dans mon coin et j'observe. Il ne me faut pas longtemps pour comprendre que le nouveau n'est pas là pour faire le cinquième. Il n'en a pas l'allure. Surtout, il n'a pas le comportement de quelqu'un qui est appelé à être un simple membre dans le groupe.

Et là, je me dis qu'il y a anguille sous roche, que cette histoire d'hésitation sur le nombre, sur quatre ou cinq, c'est du bidon. En fait, ils, ceux de la prod, sont en train de remanier le groupe. L'un de nous va sauter, c'est sûr. Et le remplaçant est devant moi.

Évidemment, vu mon profil, et sans paranoïa aucune ni défaitisme, vu le sentiment que j'ai depuis le début de détonner dans ce milieu, je me dis que celui qui va sauter, celui qui doit sauter, c'est moi. C'est sûr, je ne suis pas léché comme les autres, pas poli comme eux. D'ailleurs, sans que ce soit très net encore, je fais déjà un peu bande à part dans le groupe. Brian, Roman et Alexandre, ça leur arrive de prendre un verre ensemble, après le boulot. Rarement. Mais ça peut. Et s'ils le font, je ne suis pas invité. « Pas les mêmes valeurs », comme on dit. Un peu trop agité, sans doute, pour ces garçons finalement assez flegmatiques. J'aurais préféré qu'on soit un peu plus proches. Qu'ils m'acceptent comme je suis, avec mon rock et ma bière. Enfin…

Tiens, en parlant de Brian, Roman et Alexandre ! Qu'est-ce qu'ils en pensent, eux, de cette situation ? Je me tourne dans leur direction : dans leur coin, le nez plongé dans leurs affaires, ils feignent de n'avoir rien remarqué ! Pourtant, elle a fait du bruit, dans le petit local, ma question à Moyne.

Je suppose qu'eux aussi pensent que je vais sauter. Et ils ne veulent pas se faire remarquer. Surtout pas.

Pas devant la direction. Ah non ! Ne rien montrer qui pourrait ressembler à de la compassion ou de la solidarité pour celui qui est sur le siège éjectable. Sait-on jamais ? Si on est à côté quand il saute, on risque bien de partir avec lui ! Alors, on préfère regarder ailleurs !

Coup de massue ! Je me replie dans mon coin. Je contemple. Comme je pense que je vais être viré, je n'éprouve pas vraiment d'angoisse. Je me laisse aller à une observation clinique.

Atmosphère tendue. Pas de doute. Regards qui se croisent et se perdent. Regards qui s'évitent. Chacun dans son coin. Pour soi. Faisant semblant de ne rien savoir des autres. De ne connaître personne. Serrant les fesses. Retenant sa respiration.

Mais qu'est-ce que je fous là ?

Si le moindre lien entre nous, la moindre unité dans le groupe, avait été esquissé, il se dissipe, se disperse dans l'air lourd du studio. Et de fait, d'une certaine manière, par l'espèce de début « garage » qui a été le nôtre, un semblant de cohésion avait commencé de naître. Balayée, cette esquisse.

Et il n'y a pas que cela. D'abord, quand je nous contemple, là, tous, j'imagine – même si je ne songe plus à mon avenir dans le projet – qu'après cette épreuve plus personne n'osera même parler d'unité. Fini. Ça, c'est bien fini. Ensuite, je songe amèrement à la raison de cette situation, de cette tension, de cette suspicion naissante. Elle ne tient pas tellement aux membres du groupe. Non. Elle vient d'en haut, de la direction. Et telle que les choses se mettent en place, sous mes yeux, si chacun reste ainsi, dans son coin, c'est que les chefs ont fait passer le message que le groupe dépendait d'eux. Exclusivement. Et que chaque membre du groupe dépendait d'eux. Exclusivement. Et faire passer un tel message ne peut être l'effet du hasard. Non ! Il y a derrière tout cela un calcul. Une stratégie. Diviser pour mieux régner.

Et dire qu'on n'a pas encore commencé ! Qu'on n'en est qu'aux préparatifs ! Ça promet !

Dans cette ambiance délétère, vient le moment de la séance photo. Et là, surprise. Une fois, je ne suis pas sur la photo, l'autre fois, c'est Roman qui est écarté, puis Alexandre, etc. Bref, on tourne. Oui, surprise. Et pas que pour moi. Surprise et inquiétude pour tout le monde.

Du coup, je ne sais plus, on ne sait plus qui va sauter. Je n'en suis pas plus heureux. Je me suis déjà fait à l'idée que c'est moi qui allais partir. Alors je trouve tout ce jeu du « à toi à moi » un peu minable et humiliant. Pas pour moi d'ailleurs, si je suis bien celui qui est visé, mais pour les autres. À quoi ça sert, ce cinéma ? À leur faire peur ? À les rendre comme des toutous ? À leur faire sentir, à chacun, un par un, le vent du boulet ? Belle mentalité !

Je suis à deux doigts de prendre mes cliques et mes claques, mais je reste, jusqu'au bout. Je ne dis rien. Comme les autres. La curiosité l'emporte. Je veux savoir comment cela finira.

Tout de même, je m'inquiète. Dans le métro, au retour, comme Moyne n'a rien dit de plus que :

« T'occupe ! » comme rien n'a transpiré, aucune allusion, rien, j'attrape Ingrid pour l'interroger. Mais elle ne sait pas quoi me répondre. Elle est tout aussi perdue que moi. Si ce n'est qu'elle n'augure rien de bon de cette reprise en main par la direction. Elle aussi est une employée. Comme nous, elle peut être virée. Et pas plus que nous elle n'a été avertie, ni consultée, ni informée.

On se sépare, sombres, fermés. Je me retrouve seul. J'en profite pour réfléchir à ma situation. Et je me dis que je ne dois pas me laisser aller. Ce qui se passait n'était pas très joli, pas très élégant, mais moi, à ce moment précis, à ce stade du projet, qu'avais-je à exiger ? Pas grand-chose, à vrai dire. Est-ce que j'avais la moindre raison de me sentir vexé, de juger des méthodes du groupe ? Est-ce que je n'étais pas plutôt en train d'attraper la grosse tête ? À ce moment, j'ai encore assez de lucidité pour me sermonner. Et je me reprends.

Je dois me calmer, m'assouplir, accepter ce qui vient. Au vrai, me connaissant, ce n'est pas gagné. Impulsif et impatient comme je me sais, et fier en plus de cela, il va falloir travailler. Mais je n'ai pas le droit de me mettre en colère, d'exiger quoi que ce soit. C'est déjà beau que j'en sois arrivé là. Si j'ai quelque chose à faire, c'est plutôt combattre, ne pas baisser les bras ou ramener ma fraise. Combattre. Et pas n'importe comment. Pas en poussant les autres pour me mettre à leur place. Combattre pour tenir ma place, la place qui m'a été accordée.

En arrivant à la maison, j'ai réussi à maîtriser mes ardeurs, à me vider la tête, à évacuer tout le stress. Je suis prêt à accepter ce qui sera décidé. Si je dois partir, je partirai. Si je dois rester, je resterai. Et si je reste, je ferai tout ce qu'il faut pour que ça marche.

Contre toute attente, à la surprise générale, c'est Alexandre qui, finalement, « saute » et est remplacé par Quentin. C'est le plus drôle et le plus insouciant d'entre nous qui s'en va ! Je ne cherche pas vraiment à comprendre. Les patrons doivent avoir leurs raisons. Elles ne m'intéressent pas. Après ce que j'ai vécu dans le studio-photo, j'imagine facilement ce qu'il ressent, mais je n'ai pas l'occasion de le voir pour lui dire un petit mot comme je l'aurais voulu. Un jour simplement, il n'est pas là, et c'est de cette manière que l'on apprend qu'il est « parti ». Je ne le reverrai jamais. Mais qu'est-ce que j'avais de plus que lui, pour qu'ils me gardent ?

Ingrid avait bien raison de s'inquiéter.

C'est une reprise en main drastique : après Alexandre, Ingrid, DeKleim et les patrons de l'agence sont évincés, remerciés. Renversement total de situation ! Là, avec Brian et Roman, je me fais figure de survivant, de miraculé.

Conséquence ou hasard ? L'agence d'Ingrid, qui ouvrait tout juste à mon arrivée, disparaîtra peu de temps après cette reprise en main. À croire, si j'étais superstitieux, qu'elle n'avait été créée que pour nous permettre de faire le casting ! C'est que Brian et Roman sortent aussi de cette agence.

Tout est changé, transformé, repris, refaçonné. Tout. Sur de nouvelles bases à l'image du groupe, à l'effigie de GLEM, de son réseau, de son public. À commencer par la chorégraphie, qui est confiée à Rhéda, en passant par le chant *lead* du *single*, dont on m'avait d'abord confié la charge et qui passe au nouveau venu, Quentin, qui, par la même occasion, prend la tête du groupe.

Je m'efface. Je ne vois pas d'inconvénient à cette remise en place, au fait que je cesse d'être leader pour rentrer dans le rang. Au contraire, même. Je me dis qu'en arrière, perdu dans le groupe, c'est aussi bien sinon mieux pour mon avenir. Je me dis qu'en n'étant plus leader, j'évite le poids de la responsabilité et l'autre poids, moins pondérable mais tellement plus lourd, celui de l'image. Je crois, j'ai la naïveté de croire qu'en restant comme cela, légèrement dans l'ombre, on se dira que je n'ai fait cela que pour gagner ma vie, et qu'on ne m'en voudra pas. J'ai tout faux ! Comme je le découvrirai par la suite.

Après cette remise en ordre, on reprend le travail avec acharnement car le temps presse. On a tout à revoir.

L'attitude de Daniel Moyne change alors radicalement à mon égard. Il se montre prévenant, attentif, d'une gentillesse déconcertante. Il me couve. Il me parle. Il m'explique un peu le métier. Il me dévoile les

91

dessous du milieu, me dit comment il faut s'y prendre, quel comportement il faut avoir si l'on veut durer. Son charisme, ses paroles me font un bien fou. C'est comme une douche écossaise, mais à l'envers : après le froid, le chaud. Et je reprends espoir.

J'ai signé mon contrat, mais je n'ai toujours pas un centime valide. Naïf, j'ignore à ce moment là que je peux demander une avance, et je me contente d'attendre. J'ignore, en outre, où tout cela me conduit. Je travaille en équilibriste. En plus, après le coup de la séance photo, je sais que je ne peux pas compter sur les membres du groupe pour me soutenir ou m'aider. Aussi l'attention et la prévenance de Moyne viennent-elles opportunément combler ces déficits en m'introduisant, de surcroît, dans ma nouvelle « famille », le groupe GLEM.

Une famille qui ne manque pas à ses engagements. À preuve, cette année-là, lorsque arrive mon anniversaire, mi-décembre, une soirée surprise m'attend au Bar Fly, près des Champs-Élysées. Elle est organisée par GLEM. Les cadeaux qui me sont offerts sont des cadeaux GLEM. Chemise luxe, payée par GLEM. Fête, musique, ambiance, payées par GLEM. Je n'irais pas jusqu'à dire que les invités ont été payés par GLEM mais c'est tout comme. Et je n'y vois que du feu. Ou plutôt, je soupçonne bien qu'il en est ainsi, mais, au lieu de m'inquiéter, cette omniprésence du groupe me ravit et me flatte. Je me sens comme un coq en pâte. Tel que je ne l'aurais jamais rêvé. Je n'ai pas l'idée de me dire que les coqs en pâte sont faits pour être mangés. Je profite de l'instant.

Dans le fond, de tous ceux qui nous ont quittés en cours de route, c'est surtout à Ingrid que je pense. Après tout le mal qu'elle s'est donnée... Dans son travail chorégraphique aussi bien que dans sa présence à nos côtés, elle qui, sans cesse, nous remontait le moral, nous disait que tout allait bien se passer, que nous devions nous serrer les coudes... Remerciée comme cela, du jour au lendemain. Ça me fait de la peine.

Mais elle semble bien le prendre. Quand je l'ai appelée pour avoir de ses nouvelles, lui demander comment elle se sentait, elle m'a dit que ça faisait partie du jeu, que je ne devais pas m'en faire, que je ne devais pas me retourner, surtout, que je devais continuer d'avancer. Puis elle a ajouté que nos chemins finiraient par se croiser à nouveau, un jour ou l'autre, dans ce milieu qui n'est pas bien grand... Je l'espère.

Pour le reste, je suis son conseil. Je continue d'avancer

Que le spectacle commence !

Sortie du *single*. Première télé. Premier plateau. Les événements se précipitent. La grande épreuve s'annonce. TF 1. Moins d'une semaine.

Agitation fébrile. On travaille. On peaufine. On reprend tout. C'est l'occasion, pour moi, de découvrir un peu le milieu et de rencontrer des gens.

C'est ainsi que je fais la connaissance de Richard Cross, que l'on nous présente comme notre coach vocal. Richard – je devais l'apprendre assez vite – est l'un des plus éminents professeurs de chant sur la place de Paris. Sa carrière absolument impressionnante l'a conduit à collaborer avec presque toutes les personnalités nationales et internationales du show-biz. Je ne citerai pas de noms, dans la crainte d'en oublier. Disons simplement que les plus grands, qu'ils soient français, anglais, américains ou autres, ont eu, une fois au moins, recours à ses services. Pourtant, à notre première rencontre, ce n'est pas cette extraordinaire carte de visite qui retient mon attention, mais l'homme lui-même. Avec son mètre quatre-vingt tout en délié, ses vêtements amples, son crâne rasé, il m'en impose. Mais je suis plus particulièrement sensible à son regard profond, dense, à sa voix posée au débit calme mais ferme ; Richard respire une sérénité, un calme plein de douceur et d'attention qui tranche avec l'agitation inquiète qui règne autour de moi et dans mon cœur. Immédiatement, et sans le lui dire, je lui voue une affection très réelle. J'aime me retrouver dans son studio, tout à son image, doux et attentif aux êtres.

Richard se prétend athée. Je ne doute pas qu'il pense l'être, quoiqu'il m'apparaisse comme quelqu'un de religieux, et l'une des personnes les plus spirituellement sensée que j'ai rencontrées. Lui, athée, moi, convaincu de l'existence de Dieu, ou d'un Dieu qu'à cette époque je situe mal, cette divergence de point de vue devrait nous éloigner ; elle nous rapproche. C'est que Richard, en toutes choses, montre une grande pudeur, et le respect avec lequel il reçoit mes opinions, sa manière de me dire son avis sans jamais porter atteinte à ce que je crois, sans jamais dire un mot, une parole qui risquerait de me déstabiliser, cela vaut, pour moi, toutes les confirmations.

D'ailleurs, je n'ai jamais bien compris la volonté farouche de convaincre les autres, s'agissant des vérités essentielles. J'ai toujours pensé que vouloir imposer de force l'idée de Dieu à quelqu'un qui la rejette ne pouvait conduire qu'à des catastrophes. C'est pourquoi je suis sensible à l'opération en sens inverse, à ceux qui veulent détruire, à toute force, par la dérision, l'insulte ou le raisonnement, l'idée de Dieu qu'un être garde en son cœur. Mais Richard n'est pas de ceux-là. Il est, au contraire, tout ce que j'attends d'un véritable ami : disponible, soucieux de faire et de dire ce qui peut apporter une aide, attentif à écarter et à taire ce qui pourrait desservir. Exactement ce que j'aimerais voir chez beaucoup plus d'hommes et de femmes.

Malencontreusement, pour des raisons qu'aujourd'hui encore j'ignore, il se retire très vite du projet. Et je le perds de vue. Fallait-il que je sois pris dans une tourmente pour le laisser partir ainsi !

Autre exigence, autre domaine de travail : la chorégraphie. Répétitions intensives sous les ordres de Rhéda. Dernières mises au point. Non plus dans les sous-sols, mais dans des salles de danse maintenant. La classe !

Mais, autant le courant passe avec Richard, autant, avec Rhéda, mes relations sont tendues. Je ne sais trop pourquoi mais ce petit bonhomme au crâne rasé, ultra-tonique et excentrique, semble m'avoir dans le nez. Il ne s'en prend qu'à moi. Il me pousse à bout. Je suis sa tête de Turc. Il est ma hantise. Je ne compte plus le nombre de fois où des envies de meurtre m'ont submergé. Aussi ai-je hâte qu'on en finisse. Hâte qu'on se montre au public. Au moins, je ne l'aurai plus sur le dos. Si ça marche, il me foutra la paix. Si ça foire, j'irai voir ailleurs. Cette envie est même plus forte que le trac. Je crois que, du groupe, je suis le seul à être si pressé. Excepté Quentin, peut-être, qui adore faire des shows en public.

Le *single* est sorti. Très vite, il est diffusé partout sur la bande FM. Nous n'avons pas encore les faveurs des lourds (NRJ, FUN, RTL ou Europe) mais nos « gueules d'anges » remplissent une bonne partie de la presse jeune. Je mesure la puissance et l'influence de GLEM.

Avant la grande première télé, qui devait avoir lieu sur TF 1, nous devons participer à une émission du groupe, les *Années Tubes*. C'est là que j'ai mon premier choc, que je mesure réellement la portée du phénomène naissant que nous laissaient entrevoir les chiffres.

Je suis dans le métro. J'attends d'arriver Porte de la Chapelle. À mes côtés, un type sifflote. Je tends l'oreille. Comme ça, sans intention particulière. C'est l'air de notre *single* ! Je souris. Mais quelques instants plus tard, c'est une jeune fille. Puis quelqu'un d'autre. En moins de deux minutes, l'air du *single* est en fond sonore dans toute la rame ! Je suis sidéré. C'est la première fois que ça m'arrive et j'avoue que je trouve cette situation plutôt agréable. Encore un point sur lequel je vais déchanter.

Dehors, entre les immeubles modernes, blocs de béton et de verre, et les vieux murs en briques rouges de la banlieue, je savoure cette notoriété nouvelle, d'autant que personne ne sait encore qui je suis.

Le grand jour ! Nous sommes sur les plateaux de TF 1, invités dans une émission qui s'appelle *Tip Top*, présentée par Éric Jeanjean et Nathalie Simon, et produite par Louvin. Pour l'anecdote, elle n'aura que trois diffusions. Elle ne rencontrera pas le succès escompté. Pourtant, sa programmation n'est pas mauvaise. Comme

97

quoi, on peut s'appeler Louvin, mettre toutes les chances de son côté, on n'est jamais sûr d'être gagnant. Louvin lui-même nous l'avait bien dit.

À ce sujet, d'ailleurs, quand il nous avait parlé de la possibilité d'un échec pour notre *single*, j'avais compris ses paroles, apprécié sa franchise, mais pas vraiment pris conscience de la signification de ses mots. À ce moment, j'ai plutôt l'impression que, dans ce métier, il n'y a pas de règles. Que le premier venu, un type comme moi, par exemple, issu de nulle part, peut très bien se retrouver sur le devant de la scène du jour au lendemain. Est-ce que j'ai tort de penser cela ? Pour le citer, Andy Warhol l'avait pensé avant moi : « En l'an 2000, tout le monde aura son quart d'heure de gloire… » Mais quand je constate, aujourd'hui, que ce phénomène fait l'objet d'une exploitation systématique, de plusieurs émissions qui se tirent la bourre, avec, à la clef, pour certains, un ticket retour case départ, pour d'autres, un ticket pour un succès incertain, fébrile et éphémère, ce succès que je connais trop bien, oui, quand je regarde ces jeunes et quand j'y pense, je n'éprouve, rétrospectivement, en considérant mon parcours, que de la crainte et de l'appréhension pour ces gosses qui feront les frais de l'aventure.

À croire que l'histoire est sadique, qu'elle aime à répéter ses drames, et que l'homme est crédule, qu'il refuse d'écouter les avertissements. Je savais bien, pour ma part, les tragédies de certains artistes, j'en avais lu les comptes rendus, j'en avais entendu parler. Pour en citer quelques-uns : Jeff Buckley, qui finit noyé dans le Mississippi après un mauvais *shoot*, ou encore Florent Pagny qui, après son premier succès, perd tout et se retrouve à la rue ; ou, encore plus sordide même si c'est dans un autre registre, Jean-Michel Basquiat, poussé à la mort par le « système ». Je connaissais, en théorie, le danger de ce monde mais, dès les premiers frémissements du succès, je n'ai plus voulu en tenir compte. Et aussi bien, ma sombre histoire, à la fin du groupe, à demi médiatisée, est-elle venue s'ajouter à la longue liste des témoignages sans pour autant, semble-t-il, modifier le regard des nouveaux venus, les rendre plus lucides que je ne l'étais moi-même. Pourtant, c'est une leçon, insupportable sans doute mais bien réelle, une leçon que l'on apprend toujours lorsqu'il est trop tard, celle qui vous dit que l'on a tort de croire que ça n'arrivera qu'aux autres, et que nous, nous passerons entre les gouttes. Non ! Alcool, drogue, dépression, cure de désintoxication, et le reste, cela n'arrive pas qu'aux autres. Parce qu'il faut bien comprendre qu'avec le succès, on entre dans le club fermé des autres à qui *cela* arrive !

Pour l'instant, nous sommes en place, dans les studios de TF 1, et nous attendons, dans les coulisses, entourés par le staff. Ça va être notre tour. Le trac me pétrifie, comme dans les studios de la plaine Saint-Denis. Je sens, sur ma nuque, les regards insistants de Moyne et de Rhéda. Je ne vois pas leur visage, leur expression, mais le poids qui pèse sur mon dos est suffisamment éloquent. Il me révèle ce qu'ils pensent : « Toi, si tu te rates, mon gars... »

Jeanjean nous annonce. Envahi par l'appréhension, par tout un tas de pensées négatives, incontrôlables, je laisse l'angoisse s'emparer de moi. Je me demande ce que je fous là. Je me sens mal, de plus en plus mal. Le trac qui me noue le ventre est insupportable. Pas euphorisant une seconde, comme peuvent l'être parfois les tracs. Pas du tout hystérique. Au contraire. Je renâcle. Je ne veux pas y aller. Tout le truc, le boys band, le brushing, le costume taillé aux ciseaux, tout m'apparaît soudainement atrocement ridicule. Je ne suis pas à ma place.

La musique démarre. Une dernière pensée pour mon père, et la phrase qu'il répète sans cesse : « *The show must go on !* » puis je me vide la tête et je me lance. Sur la scène, je ne me soucie plus de rien. J'arrête de réfléchir. Je suis plutôt agressif, même. Ce que les gens peuvent penser de moi, c'est leur problème, pas le mien. Je sais ce que je fais. S'ils ne comprennent pas, tant pis. S'ils rigolent, tant pis. Je ne fais pas ça pour eux.

Fin du passage. Retour en coulisse. Succès total ! La chorégraphie ? Nickel. La mise en scène ? Irréprochable. Le public ? Au rendez-vous. Parfait.

Tout en reprenant mon souffle, je me sens submergé par un sentiment de fierté qui repousse tous mes doutes. Je n'ai plus aucune haine, plus d'animosité, ni contre Moyne, ni contre Rhéda, ni contre personne, aucun fantôme. J'ai plutôt envie de les embrasser, de les remercier. D'ailleurs, les voilà qui s'approchent. Ils viennent nous féliciter. Rhéda, même, me prend à part et sur un ton chaleureux me demande : « Tu as saisi, maintenant ? Tu as compris ce que je voulais que tu donnes ? » Bien sûr que j'ai compris. Et je le lui dis :

« Oui, maintenant, j'ai pigé le truc. » Il me reprend : « T'as rien pigé du tout ! C'est que le début. C'est pas fini. Le plus dur est devant. » Seulement, il me dit ça en accompagnant ses mots d'un geste amical sur l'épaule, qui me réconcilie avec lui. Je réalise que, finalement, il n'était pas mauvais avec moi. Quand il me poussait, c'était pour mon bien. Qui aime bien châtie bien !

Après Moyne et Rhéda, c'est au tour de Louvin de sortir de la régie pour nous féliciter. Tout va bien.

Je découvre les premiers effets du succès, de la réussite. On n'a pas encore fait de percée spectaculaire, mais on est sur le bon chemin. Et les visages se dérident. Les sourires fleurissent. Les petites rancunes s'effacent. Oubliées. On se tape sur l'épaule. On se congratule. On s'encourage. C'est contagieux. Au sein du groupe, les liens, jusque-là distendus, se resserrent. Le même désir de réussir nous unit. D'autant que ce soir, on commence notre voyage.

Premier *single*. Première télé. Voilà. On est parti.

Le manège enchanté

On enchaîne : *Hit Machine* sur M6, Jean-Pierre Foucault, pour l'élection de Miss France 97 au Futuroscope de Poitiers, *Tout est possible*, où Morandini fait un sujet sur nous.

On est partout. En un clin d'œil, on est devenu les enfants chéris de GLEM. Surmédiatisés.

Reste un inconvénient, et pas des moindres, qui empêche encore le *single* d'exploser : on n'a pas de partenaire radio. On a beau faire de la télé, envahir les unes de la presse jeune, les poids lourds de la radio ne veulent toujours pas de nous. Ils renâclent. Ils rechignent. Sans doute des questions d'intérêts qui m'échappent. Des questions d'accords, d'arrangements, je n'en sais rien. Ce que je sais, c'est que, finalement, un beau jour, NRJ, sous la pression, finit par nous programmer. Un ultime coup de pouce qui nous propulse en tête du hit-parade. Un succès total, foudroyant.

À peine sept mois après mon arrivée à Paris, je suis pris dans les rouages d'une machine infernale.

Baila, notre *single*, est quatrième au Top 50, entre Madonna et Mylène Farmer ou Johnny Hallyday. C'est un tube. Avec tout ce que cela représente – pour moi surtout – d'impondérables, d'imprévus, d'éléments non maîtrisés, de désordre, d'excitation, bref d'engrenage mortel.

Parce que, à ce point, il faut bien se rendre compte du décalage que je vis et dans lequel je vais m'enfoncer.

Tout d'abord, je subis un choc, le jour où, pour fêter notre envolée, GLEM organise une réception en notre honneur au « Planète Hollywood ». L'arrière-salle du restaurant est entièrement réservée, pour nous. Lorsque nous arrivons, sous bonne escorte, tout le staff est présent. Tout ce que GLEM comporte de gens importants. Tous les responsables de Mercury Universal. Un tas de gens que je ne connais pas. Mais, surtout, c'est la seconde fois seulement que je les retrouve, réunis. La première, c'était le jour de l'audition, dans les studios de la plaine Saint-Denis. Ce jour-là, je n'en menais pas large. J'étais l'accusé, ils étaient le jury. Cette fois, les rôles sont inversés. Je suis la vedette, ils font la claque. Instant féerique. Révélation aussi. Bon Dieu ! Si eux sont là, pour fêter notre succès, c'est qu'il est en béton ! Oui, ce jour-là, je comprends ce que nous sommes devenus, mais pas ce qui nous attend. Notamment, que le succès se paie.

On mène déjà, et on mènera, de plus en plus, un train d'enfer. Télés, radios, rencontres avec les journalistes de la presse jeune, briefing dans les locaux du groupe et, plus tard, galas. On n'arrêtera pas. Pas le temps de souffler, de réfléchir. D'un autre côté, je suis sans assise, sans ressources, hébergé heureusement par des amis au grand cœur qui croient en moi, comme Karim, dont la famille, extrêmement modeste pourtant, m'accueille et me nourrit pendant plusieurs mois, dans leur appartement d'une cité de banlieue, puis Pierre, qui est coiffeur et avec qui j'ai sympathisé. Il habite à Paris et il m'offre le canapé pliable de son salon. Vous voyez ça d'ici : le jour, réception dans les grands hôtels, fréquentation des plateaux télé, photos, interviews, autrement dit, vie de star montante ; le soir, direction l'appartement de ceux qui m'hébergent, où m'attend le canapé du salon ! Ça ne va pas ensemble. J'ai l'impression d'être un équilibriste. Je ne touche la réalité qu'avec le bout des pieds. Je m'accroche à ma corde, mais en fait, je sens le vide sous moi.

Dans cette folie, je finis par presque oublier d'où je viens. Je continue à parler de Dieu, ou plutôt de l'*âtman*, du *brâhman*, du *karma*, parce que je suis dans ma période bouddhiste, mais je n'ai plus trop le temps de m'en occuper. Ni le temps, ni la tête. La direction nous met une pression énorme, qui augmente après le passage au « Planète Hollywood ». Ça marche, il ne faut pas lâcher le morceau. Il faut en faire un maximum. Répondre à toutes les demandes. Occuper l'espace médiatique. Il faut être présent pour soutenir le succès. Et pas n'importe comment. Il y a une stratégie. Une image aussi. Il faut respecter l'image, les consignes. Je trouve cela normal. Et c'est normal. Mais ce faisant, je joue un rôle, je ne suis pas moi-même.

Le problème, c'est que je passe plus de temps à jouer à ce que je ne suis pas qu'à être ce que je suis. Forcément, cette situation a des conséquences. J'aurais pu encaisser, m'arranger avec toutes ces exigences. Mais je n'en ai pas le temps. Du matin au soir, je suis sur la brèche. Et quand j'arrête, je ne peux pas sortir de mon personnage. Les nouvelles personnes que je fréquente me connaissent dans ce rôle. Alors, même quand je m'amuse, quand je décompresse, je suis encore Steven, membre d'Alliage, un groupe à succès, et plus Steven Gunnell.

Le *single* « cartonne » tellement que la direction elle-même n'en revient pas. Louvin et Moyne sont « sur le cul ». Malgré leur cuir tanné, leurs années de métier, ils sont dépassés par les événements. Ils ne l'avouent pas, mais cela se sent. *Baïla* est double, triple disque d'or. En hâte, on enregistre l'album qui était dans les cartons. Disque d'or lui aussi.

Aujourd'hui, grosse réunion au groupe.

Louvin et Moyne nous ont convoqués dans leur bureau de l'avenue Raymond-Poincaré. Je suis impatient. Nous sommes le 21 avril. Il est 11 heures. Dans le bureau, il y a un homme que l'on a l'habitude de croiser dans les couloirs, mais dont on ignore les fonctions. Il s'appelle Claude Fournier. En fait, c'est le numéro trois du groupe, après Louvin et Moyne !

Il s'occupe du département humour, ainsi que des tournées et de la scène, pour toutes les activités de GLEM. Il va nous prendre en main et devenir notre *tour manager*.

Oui, j'ai bien compris. On va partir en tournée, faire de la scène, du *live* comme disait DeKleim ! Mais il n'y a pas que ça. Ou plutôt, cette nouvelle activité a des implications que Louvin nous fait entrer dans la tête. Pour commencer, c'est une confirmation. On change de statut. Alliage n'est plus simplement un groupe pour faire des *singles* et des albums. Il devient un groupe à part entière, qui se produit. Ensuite, on va gagner des sous. Et beaucoup. Il faut s'y préparer. Être content. Enfin, on va être pris vingt-quatre heures sur vingt-quatre. Plus question de vie privée. Il faudra se donner à fond.

C'est parti. Des discothèques entières, des milliers de fans sont au rendez-vous. Des fans qui hurlent, qui arrachent nos chemises. Des galas que l'on ne peut pas achever, impossible, la foule hystérique renversant chaque fois les barrières de sécurité. Et c'est à ce rythme, pendant deux mois.

Deux mois sans voir le jour. Quand on s'arrête, on ne sait plus comment on s'appelle. On est éreinté, Brian, Roman, Quentin et moi. Tous les quatre. Mais la récompense de nos efforts nous attend. Tous les cachets qu'on a accumulés durant ces deux mois, tout ce que l'on a gagné, et dont on n'a pas idée, nous est versé d'un coup, en bloc.

C'est ma première paye. Les premiers sous que je touche depuis le début du projet. Même si, dans l'absolu, je n'empoche pas une fortune, pour moi, c'est considérable. Plus même : un choc... financier. D'un coup, je passe de rien, littéralement rien, à beaucoup d'argent. Ceux qui, comme moi, ont eu quelques temps les poches vides comprendront ce que cela signifie.

Je me sens riche. Riche et célèbre. Invulnérable.

Durant ces derniers mois, j'ai bougé. Toujours des squats, mais chez différentes personnes. J'ai déménagé de chez Jean-Claude et Thierry pour aller chez Karim, puis chez Pierre. Merci à eux tous.

Ceci dit, si ces vrais amis m'ont apporté une aide immense et désintéressée, moi, en menant la vie déjantée qui devenait la mienne, je ne me suis pas rendu service. En passant ainsi d'un endroit à un autre, j'ai achevé de me déstabiliser. En même temps, j'ai changé de milieu, de monde. J'ai rencontré des gens. Énormément. Je suis sorti. Beaucoup. Sans m'en apercevoir, je me suis séparé de mon ancienne existence en me dispersant dans une vie instable, incertaine, toujours sur le fil. Des mois durant, je ne savais jamais si j'allais pouvoir « bouffer », et des mois durant je me débrouillais, chaque soir, en saisissant les occasions de mon nouvel univers, qui ne manquaient pas : réception, représentation, promos, si ce n'est virées en boîte avec quelques journalistes ou des musiciens. Bref, il y avait toujours quelque chose ou quelqu'un pour me permettre de rebondir, mais rien de ferme ou d'établi. Avec ma « fortune » tombée du ciel, les choses changent. Je me prends en main.

Je décide d'abord de me loger ; un appartement bien à moi, c'est le minimum. On me dit que ce sera dur. Paris, le logement... Qu'il faudra galérer. Je veux bien le croire.

Je rentre dans la première agence que je trouve. Un peu inquiet, rapport à ce qu'on m'a dit. Je n'ai pas besoin d'ouvrir la bouche. La fille qui m'accueille m'a déjà reconnu. Dans la demi-heure qui suit, je visite l'appart de mes rêves – il donne sur le square Charles Laurent, à l'angle de la rue Cambronne et de la rue du Commerce – et je signe le bail. Je signe ! Je fais un chèque sur le chéquier de ma nouvelle banque ! Puis, je signe encore quelques autographes. Voilà. Pas plus difficile que ça.

On se quitte. Montée d'adrénaline. Je viens de mesurer ma nouvelle puissance et, au fond de moi, j'en suis étourdi. J'ai le sentiment que tout m'est accessible. Oui, tout à coup, tout est possible. Je veux quelque chose ? Je n'ai qu'à tendre la main. Faire un chèque. Je suis comme un gamin.

Et comme je suis en pleine ascension, que le succès circule autour de moi, que tout le monde m'entoure, me protège, comme je sens dans mon dos l'inébranlable puissance de GLEM, je ne calcule pas. J'ai besoin de meubler mon appart ? Je vais dans un magasin, je commande ce qui me plaît et je fais un chèque. Au vrai, je ne fais pas de folies. Mon appartement n'est pas très grand et les meubles que j'achète ne sont pas des meubles de collection. Mais sur mon compte, il n'y a rien d'autre que mes cachets – qui sont très vite épuisés – et le crédit que ma banque m'accorde.

Le seul domaine où je me laisse entraîner, c'est celui des fringues. Là, je veux du *standing*. Quelque chose qui convienne à ma nouvelle position, à mon image. Alors, je vais m'habiller rue Montaigne ou sur les Champs. On me reçoit comme un roi. Dans ces boutiques dont, six mois plus tôt, on m'interdisait l'entrée, tandis que je cherchais du travail, on m'offre maintenant du café, on me fait des rabais sur les nouvelles collections.

Autre domaine où je me laisse aller, moins onéreux – et encore ! – mais plus symbolique : les taxis. Il y a quelques mois, je regardais le fait de circuler en taxi comme presque scandaleux ; maintenant, je ne peux plus m'en passer. Fini le métro. Je ne bouge plus qu'en taxi. Et je claque sans compter. Dix, quinze courses par jour ! C'est un détail ? Peut-être. Mais c'est sur des trucs aussi insignifiants que celui-ci qu'on bascule sans s'en apercevoir. En me laissant aller ainsi, mais sans faire de notables excès, à la fin du mois, je suis déjà dans le rouge. J'ai dépensé deux fois plus que ce que mes galas m'ont rapporté en deux mois ! Je ne m'en remettrai pas.

Pour l'instant, ce n'est pas un problème qui me préoccupe. Place à la joie et au plaisir de la notoriété.

Les Citizen's viennent à Paris. Un concert dans le coin. J'ai le temps de voir mon père, pour quelques heures. Je l'embarque, direction les Champs, qu'il a connus bien avant moi mais que je suis naïvement fier de lui présenter. Nous allons manger un morceau au « Planète Hollywood », qui est devenu l'une de mes cantines. Il faut dire qu'avec le succès, les portes m'en sont ouvertes « gratuitement ». C'est une dimension du métier que je découvre, un peu surpris. Mais le simple fait que je vienne m'attabler, moi, un personnage célèbre, dans ce restaurant, lui fait de la publicité et il me retourne ce service en m'offrant le repas. Il n'est pas le seul. Si je le voulais, je pourrais passer ma semaine à manger ainsi à l'œil ou à profiter d'autres services encore. Mais je ne le veux pas. Et je le fais sentir en laissant chaque fois un pourboire équivalant à la note qu'on me présente formellement, pour bien marquer mon indifférence à ces pratiques et mon respect pour ceux qui m'ont servi ce repas.

Quoi qu'il en soit, je suis là, avec mon père, nous finissons de manger, c'est samedi après-midi. À la sortie du « Planète Hollywood », malgré ma casquette enfoncée sur les yeux, une gamine de douze ans me reconnaît. Immédiatement, la nouvelle s'envole : « Steven, d'Alliage ! » En quelques secondes, je me trouve entouré, cerné véritablement, par une quinzaine de gosses en train de hurler et de me demander des autographes. Je n'en suis pas autrement surpris. Cela fait maintenant plusieurs mois que je ne peux pas sortir sans être assailli par les fans. Mais mon père ne s'y attendait pas. Ahuri, il s'écarte tout en se marrant dans son coin. Il ne le dit pas, mais je le lis dans ses yeux : il est impressionné. Jusque-là, il ne m'avait pas pris au sérieux, pas plus que le concept de boys band. Pour lui je ne faisais que mettre un pied dans le métier. Un petit bout de pied pour commencer. Il doit bien avouer qu'il n'avait pas prévu cela. Personne ne l'avait prévu.

Boys band le jour, *bad boy* la nuit

Le succès s'impose au point que GLEM décide de fêter l'événement à sa mesure, à ce qu'il estime être sa mesure. Le groupe réunit tout le gratin du show-biz sur une péniche, le « Colonial », quai de New York, face à la tour Eiffel, pour la remise solennelle de notre disque d'or. Tout le monde est là : l'équipe complète de GLEM production, les gens de Mercury, d'Universal, tous ceux qui ont travaillé sur l'album, les compositeurs, les auteurs, les arrangeurs. Tout le monde. Et des invités, en masse, du métier, des journalistes, des gros bonnets.

Nous arrivons en limousine. Dans le ciel, un *sky tracer* gigantesque projette le sigle d'Alliage sur le dôme de nuages, en effectuant un mouvement rotatif qui s'achève au haut de la tour Eiffel.

Je sors de la voiture, la tête en l'air, envoûté par le rayon lumineux. C'est alors que je sens quelque chose sous mes pieds. Je regarde. Un tapis rouge ! Je dresse la tête. C'est ça. Un tapis rouge, pour nous, qui conduit vers la péniche où nous attendent les trois cents invités ! Je n'en reviens pas. Mais ce n'est pas fini. À peine s'engage-t-on sur le tapis, tous les quatre, Alliage au complet, qu'un son puissant déchire la nuit. Je sursaute. La péniche s'illumine. Sur le toit, je peux voir quatre types, déguisés en légionnaires. Ils ont des trompettes. Ils claironnent un air martial, style hollywoodien, pour célébrer notre arrivée ! C'est presque trop. Mais sur l'instant, je ne fais pas la part des choses. Cela fait un moment que je n'ai plus les pieds sur terre.

Pluie de flashs, grondement des cuivres, puis la remise du disque d'or. On passe, chacun, devant le micro, pour dire un mot. Quand vient mon tour, je ne peux pas parler. L'émotion est trop forte. J'ai des larmes plein les yeux. Devant tout le parterre qui me regarde, en présence de la direction du groupe, au complet, je ne peux rien faire d'autre que remercier, et répéter que je remercie ma nouvelle « famille » pour ce qu'elle a fait pour moi.

On passe à table. Les larmes ont séché, mais j'ai les yeux qui brillent. Je viens d'en prendre plein la tête et je ne suis plus moi-même. Je ne suis plus capable d'aligner deux mots. Plus du tout maître de mon destin. Là, au milieu des ces gens qui incarnent la puissance, le pouvoir, l'argent, l'illusion et le règne de la nuit, je deviens un autre. Un autre entièrement dépendant de ce nouvel univers, de ces gens, ici rassemblés. J'ai, tout à coup, besoin d'eux comme un drogué de sa chimie. Il me faut leur présence, leur environnement pour me donner le sentiment d'exister. C'est la logique de la célébrité, bien sûr, qu'à cet instant je n'analyse pas. Mais c'est ça. On est célèbre dans le regard des autres. Sans eux, sans le regard porté sur vous de tous ceux qui vous admirent, la célébrité se dissipe. Mais ce dont je ne m'aperçois pas, c'est qu'en réalité le regard de ceux qui vous admirent vous fabrique. Leur regard et rien d'autre. Non seulement vous ne pouvez vous passer d'eux, mais vous dépendez d'eux ; vous en êtes même l'esclave. Ils vous construisent comme ils veulent que vous soyez. Et vous, vous devez ressembler à l'image qu'ils projettent. Essayez une fois d'être vous-même, ils vous dégagent sans état d'âme. Vous disparaissez à leur vue. Vous n'êtes plus rien.

Pour couronner le tout, je ne suis pas dans cette réception comme une pièce rapportée, je suis au centre, avec Brian, Roman et Quentin. Je ne me dis pas : « C'est super, je fais partie du milieu, je suis passé dans les coulisses, je partage les petits fours et je côtoie du beau monde. » Non. Je n'ai même pas connu ce cap, du plaisir d'en être. Direct au centre. C'est pour moi que ces gens sont là, et ce n'est pas moi qui suis au milieu d'eux. De quoi me faire « péter les plombs ».

Pas dans la seconde, bien sûr. Toute la soirée, je me tiens à carreau. Je suis trop écrasé, de toute manière, par ce qui m'arrive, pour avoir envie de faire des écarts. À un moment, Louvin m'appelle à sa table. J'y cours. C'est mon nouveau moi. Pas question de déplaire au patron qui m'a tant apporté. Il me présente une chaise, à son côté, puis me nomme, un à un, ses invités. Parmi eux, le grand patron de NRJ. Je suis impressionné. Je n'ouvre pas la bouche.

« Tu te rends compte de ce qui t'arrive ce soir ? me demande abruptement Louvin. Tu comprends que ta vie ne sera plus jamais la même ? »

Quand il me dit ça, je pense à mes parents, à mes potes, à ceux qui m'ont aidé. Et là, intimidé par cet homme grand, portant bien, très charismatique derrière ses lunettes, la voix puissante, l'élocution claire, la parole incisive, je fonds en larmes.

Louvin, peut-être surpris par ma réaction, peut-être flatté, je ne sais trop, me tape sur l'épaule d'un geste paternel : « C'est beau de voir un jeune sensible comme ça. Qui prend conscience de la chance qu'il a ! Ne change jamais, mon garçon, tu es un vrai ! »

Je quitte la table. Je monte sur le toit de la péniche. Devant moi, la Seine est illuminée de mille feux. Dans mon dos, la tour Eiffel n'arrête pas de scintiller. Son reflet dans le fleuve, le miroitement du fleuve, les lumières de la ville, de Paris qui déploie pour moi sa splendeur, la musique qui sort de la péniche et qui domine tout, jusqu'au Trocadéro, le sigle d'Alliage, notre sigle, qui habite la nuit, l'envahit, se plaque sur le ciel, glisse sur les immeubles, surfe sur les bateaux, rebondit sur l'eau pour remonter, le long de la tour Eiffel, et rejoindre les nuages… Je vis un rêve éveillé. Un peu cliché, je le concède. Mais j'ai 20 ans ! Et là, vraiment, je me sens sur une autre planète. Tout est beau, tout est parfait, tout brille. Je suis reconnu. Je suis respecté. Je suis aimé. J'ai réussi. J'ai gagné !

Je suis devenu une star. Fabriqué, manipulé, construit de toute pièce, une star de pacotille si vous voulez, mais toutes les stars sont « de pacotille ». Il serait hypocrite de prétendre le contraire. Et pour une raison très simple : « star », c'est un phénomène. Le phénomène d'un milieu qu'on appelle le show-biz : cinéma, musique, politique, tout ce que vous voulez. Et chaque fois on y retrouve les mêmes contraintes, les mêmes nécessités de se soumettre aux règles, les mêmes simagrées, aussi et, à terme, la même pacotille. Moi, comme les autres. Ni plus, ni moins.

C'est vrai, quand j'y pense, aujourd'hui, je me dis que ce n'est pas grand-chose, une star. Juste un ensemble d'éléments. Toujours les mêmes, d'ailleurs, et qui fonctionnent toujours de la même manière, qu'importe le niveau, le degré, l'extension géographique de la renommée. On se retrouve au centre d'un petit univers, on fait l'objet de toutes les attentions, partout, quelles que soient les situations, sur la scène, dans la vie, avec les gens du métier, avec les journalistes, quand on descend à l'hôtel, quand on prend un taxi, et on détient une espèce de pouvoir que l'on maîtrise très mal mais qui vient du fait que le succès est passé par là, par vous, qu'il vous a choisi. Alors, les autres vous choient, vous caressent, vous respectent, vous admirent, ou attendent de vous, de façon irrationnelle, que vous fassiez quelque chose… sans compter, évidemment, ceux qui essayent d'en profiter.

J'ai connu tous les cas de figure. Et je crois que de toutes les attitudes, l'admiration est la plus honorable.

Elle ne demande rien. Elle ne calcule rien. L'admiration des fans et des gens dans la rue est le plus souvent sincère. Bien sûr, il ne faut pas que vous fassiez n'importe quoi. Mais quand le succès vous tourne le dos, si l'admiration décroît, elle ne se renie pas. Les fans grandissent, eux aussi. Ils changent de fascination. Ils n'ont plus pour vous l'admiration qu'ils vous vouaient avant. Mais ils savent – et nous autres, nous finissons par le comprendre – que ça a été une belle aventure sur laquelle on n'a pas le droit de cracher.

Le problème, c'est que dans cette démence, on attache plus d'importance au reste, aux autres signes de la notoriété. On y croit dur comme fer, aux marques de respect de la profession. Jusqu'au jour où l'on découvre que c'était intéressé, qu'en fait personne n'en a rien à faire de qui vous êtes, de ce que vous voulez vraiment. Et on le découvre quand on est dans la difficulté et que l'on va frapper à des portes qui restent closes.

Donc, je suis devenu une star. Tout ce que je viens de dire, je n'y songe pas, évidemment. Je n'en ai pas la moindre idée. Je suis star et je me conforme à mon nouveau statut. Je change de comportement, d'habitude, de train de vie. Je trouve de moins en moins le temps d'appeler mes parents, mes potes. J'ai trop de chose à faire, vous comprenez ! Et Dieu, c'est pareil. Pas le temps. Alors je le mets dans mes poches. Là où j'avais fourré le rock, Nirvana, Faith No More, Sepultura, et le reste. Oui ! Mais ce que je ne réalise pas, c'est qu'en même temps je change de garde-robe. Littéralement et par métaphore. Mes vieilles fringues, je les remise au placard. Avec elles, Dieu, ma culture rock, mes valeurs, ma morale, et mes rêves de gosse. Maintenant, je ne jure plus que par ma nouvelle idole : GLEM production.

Je suis un autre.

Je n'ai plus envie de revenir en arrière, plus envie d'apprendre non plus. Le succès me tourne la tête. Il me fait croire que je suis arrivé. Qu'ai-je besoin de m'améliorer si, comme je suis, ça marche du tonnerre de Dieu ? La prod a tout compris. Qu'on ne vienne pas m'en dire du mal, je sors mes griffes. Je la soutiens. Je me calque sur elle. Objectif : succès. Pérenniser le succès. Ce que je croyais, avant ? De la foutaise. Je n'y connaissais rien. Des songes d'amateur. Maintenant, je suis avec des pros et ils me font voir un autre monde, efficace. À preuve, notre deuxième *single*, *Lucy*, fait un carton. Plus gros encore que le premier.

Je devrais, peut-être, me monter plus lucide, revenir sur terre, songer, par exemple, à gérer l'argent que je gagne plutôt qu'à le dépenser sans compter. Certaines personnes, plus attentives que d'autres, m'en conjurent. Je ne les écoute pas. Je n'ai pas de temps pour cela, pas d'intérêt non plus. Le plus souvent, je suis sur les routes, avec le groupe ou pris par des séances photo, du travail en studio, des galas, des plateaux télé, des interviews, des réceptions où l'on vient pour se montrer. Ce que j'achète, on me le livre quand je ne suis pas là. Et quand je reviens à Paris, quand je me pose, c'est pour me précipiter dans les restos branchés ou dans les boîtes à la mode : la « villa Barclay », les « Bains-Douches », le « VIP ».

J'y fais reluire mon image, résonner mon nom. J'ai mes aises, mes tables réservées partout où il faut, partout où les autres rêvent simplement de pouvoir entrer. C'est vrai qu'une fois installé, je me demande ce qu'ils ont de spécial, ces endroits, pourquoi tout le monde veut y venir. Mais d'un autre côté, comme tout le monde est là, moi, je ne vais pas ailleurs. C'est d'ailleurs pour cela qu'ils sont courus, n'est-ce pas ? On y va parce que tout le monde y va. J'y croise, parfois, des stars, de l'écurie GLEM et des autres, mais je fais le plus souvent la fête dans mon coin, avec des « amis ».

Évidemment, tout ça n'est pas gratuit. Je paye pour ces facilités. Pour qu'on m'accueille à bras ouverts, avec un grand sourire. Mais je ne veux pas calculer. Compter les sous, ce n'est plus pour moi, c'est bon pour les apothicaires, les épiciers. Dans mon monde, mon nouveau monde, l'argent circule à flot. Il ne se compte pas. Il s'utilise.

Question « bouteilles », pour y revenir, c'est tout pareil. Là aussi, j'ai renoncé à les compter. L'aurais-je voulu, je ne l'aurais pas pu. C'est bien simple, il y en a toujours sur la table. Et quand je ne les commande pas, on me les offre. Rien à voir avec ce que j'ai connu à Cagnes-sur-Mer. Malgré papa et maman, les magasins et les voitures, les gens avec lesquels j'ai traîné cette année noire dans le Sud étaient encore des épiciers. Naturellement, toutes ces soirées, tout cet alcool ingurgité, ne me font pas de bien. Je commence à prendre du poids. Je ne le vois pas, c'est insidieux, mais je me boursoufle lentement.

Je vis la nuit. Le jour, quand je ne dors pas, je m'achète des fringues, ou je traîne avec des gens de GLEM. Je ne transpire plus beaucoup. Sur la scène simplement. Rien à voir avec l'époque où j'étais marbrier ou garçon de salle.

Je vis dans un univers à la limite de l'hystérie, où tout doit sans cesse bouger, vite et fort, où il doit se passer des choses. Un univers plein de bruit, de fureur, de cris, de rire. Je suis lancé dans une course contre la montre, mais je ne sais pas vers quoi je cours, ni quand je devrai m'arrêter.

GLEM : ton univers impitoyable !

Le groupe se détériore. Malgré des débuts studieux, avec le succès, notre entente s'effrite. Non pas toutefois que les autres suivent la même courbe désastreuse que moi dans leur vie privée. Ce serait plutôt l'inverse. Brian, Roman et Quentin prennent le groupe comme un job. Un job comme un autre. Ils ont, tous trois, un peu la même approche. Ils sont assez solidaires, d'ailleurs. Et si le succès leur est monté à la tête, c'est d'une manière toute différente, et bien moins violente que pour moi. Il y en a même un qui habite toujours chez ses parents ! Donc, si le groupe traverse une crise, ce n'est pas pour des raisons privées mais professionnelles.

Les tournées dans les discothèques, les galas qui se transforment en débordements d'hystérie, les shows improvisés dans des boîtes qui payent notre présence, tout cela a pris une allure chaotique qui frise le n'importe quoi. On ne sait plus très bien ce qu'on vient faire, dans ces coins reculés de France où l'on nous appelle. On ne sait plus si l'on est encore membres d'un « groupe », avec une assise carrée, une discipline, un projet, une image, des musiques, des chorégraphies, des costumes de scène, ou si l'on est devenu des amuseurs publics, livrés à nous-mêmes, invités pour faire joli dans le décor, abandonnés à des improvisations pas toujours du meilleur aloi, jetés en pâture à la folie furieuse des fans.

C'est aussi le moment où je m'aperçois avec tristesse que Brian, Roman, Quentin et moi n'avons pas la même appréhension du groupe.

C'est vrai qu'à partir du moment où les choses ont commencé à se mettre en place, quand le succès est venu, moi qui étais distant, j'ai désiré que l'on soit plus uni, à la manière anglo-saxonne, plus soudé. Je voulais que l'on pense en termes de groupe, que l'on envisage l'avenir, comme « notre » avenir. Parce que déjà, malgré la réussite, j'avais un mauvais pressentiment. Je me disais : « Tel que c'est parti, ça ne peut pas durer longtemps. Certes, on a accroché une mode. Mais les modes passent. Et si on ne fait rien, on passera aussi. » Cette perspective m'inquiétait. Eux non, semblait-il.

Pourtant, j'en suis sûr. Si l'on s'accroche, si l'on resserre les rangs, si l'on se considère comme un véritable groupe et si l'on agit comme un véritable groupe, on peut parfaitement se renouveler. C'est-à-dire durer. Boys band n'est pas une fatalité. Même pour nous. Mais, encore une fois, j'ai l'impression que je suis le seul à vouloir durer. Et finalement, je renonce.

Cette divergence est particulièrement sensible durant les galas.

Quand nous avons fini de jouer et de signer des autographes, c'est toujours la même histoire. Tous les trois, ils retournent à l'hôtel ou rentrent directement à Paris. Je suis le seul à rester. Dans la boîte. Pour finir la nuit. Avec Alain Azema, notre régisseur son, Olivier Delesalle (« Tata », notre nounou) et tous les gens du staff qui nous accueillent. C'est comme ça que j'ai toujours vu faire mon père : l'esprit de famille. Ça a des bons et des mauvais côtés, l'esprit de famille. En faisant la fête avec l'équipe, j'ai l'impression de rendre justice, de faire partager la chance inouïe et imméritée qui m'est tombée dessus. Mais évidemment, ce sont toujours des soirées arrosées. Jusqu'à l'aube. En roue libre. Avec toutes les conséquences du lendemain : le manque de sommeil, la fatigue, la gueule de bois, la perte de lucidité. Et puis, les détails, comme le fait d'égarer son portable, donc de devoir, de retour à Paris, en racheter un, et de claquer ainsi tout ce que l'on vient de gagner.

Bref, avec ces tournées, nous gagnons de l'argent, mais nous n'avons plus l'impression de faire un vrai métier. Nous ne sommes pas des professionnels, mais des marionnettes. Ce n'est pas bon pour nous, ce n'est pas bon pour GLEM non plus.

Fournier, du coup, reprend toute l'organisation en main. Il se montre beaucoup plus exigeant avec les organisateurs et autres tourneurs qui nous font travailler. Il veut que l'on fasse des shows qui ressemblent à des shows, que l'on se remette à travailler sérieusement, que l'on redevienne des professionnels, pour préparer la suite.

Mais, un malheur n'arrivant jamais seul, c'est le moment que choisit Rhéda pour nous lâcher. Il est débordé de travail. Il ne peut plus s'occuper de nous. Malgré son côté tortionnaire, lorsque j'apprends son départ, je ressens un vide. Je sais qu'il va me manquer.

Passionné de danse, de spectacle, inspiré par les shows grandioses de Janet Jackson ou de Madonna, Quentin se propose de le remplacer. La direction accepte. En fait, elle ne peut guère le lui refuser. Il y a en lui une volonté qui fait reculer tout le monde. Je l'avais ressenti dès le début, dès notre première rencontre. Et j'avais pressenti tout ce qu'une telle volonté pouvait aussi avoir d'ambigu : remarquable, d'un certain côté, par l'énergie qu'elle mobilise ; mais coupante aussi, incisive, impitoyable.

Et comme de juste, d'entrée, Quentin se montre exigeant, sévère. Comme tous les perfectionnistes, il est dur au travail, dur avec nous, dur avec l'entourage. Son attitude occasionne des prises de bec. Et je ne suis pas le dernier à m'accrocher avec lui. Mais dans le fond, je sais qu'il fait tout ça pour le groupe. Sans lui, d'ailleurs, nous n'aurions jamais eu ni mises en scène ni chorégraphies pour nos nouveaux spectacles.
Il travaille jour et nuit pour que nous puissions faire quelque chose de propre, donner un show présentable. Évidemment, ça le rend tendu, irritable, parfois même exécrable. Et les gens de l'extérieur ne

comprennent pas. Ils n'y voient que du caprice. Natu-rellement, ces tensions et ces conflits permanents nuisent à l'image du groupe.

Quentin s'investit à fond. Trop, sans doute. Alliage est devenu sa chose, au point que Moyne se fait tout petit. Mais il n'oublie qu'une chose dans son implacable volonté de dominer le projet : Alliage est une construc-tion éphémère. Un jour, l'aventure s'arrêtera et il faudra tout reprendre, pour chacun d'entre nous, à zéro.

Toutefois, avec Quentin, la machine repart : galas, shows, télé, etc.

S'il me fallait conter un peu la folie dans laquelle m'a plongé l'histoire d'Alliage durant ces quelques années, je commencerai par une image. J'étais – nous étions – comme Pinocchio découvrant l'île aux enfants. Pas plus adultes que lui, ni moi ni les autres – nous avions vingt ans ! que sait-on à vingt ans ? –, fascinés par les bonimenteurs, l'argent facile, le confort. Et, comme lui, nous n'en revenions pas d'avoir des billets gratuits pour les attractions, et nous nous sentions les maîtres du monde parce que nous ne faisions plus la queue pour la barbe à papa. Nous aurait-on dit que, pour rançon de ces petits amusements, il nous pousserait des oreilles d'âne, nous ne l'aurions pas cru. C'est pourtant ce qui nous est arrivé et ce qui menace d'arriver à tous ces gosses que l'on entraîne dans l'île aux enfants des télés réalité.

Évidemment, nos chevaux de bois avaient des allures mécaniques impressionnantes : limousines, hélicoptères, avions. Comme, en outre, nous n'étions pas des pantins, nous ressentions tout l'artifice de notre situation. Et chacun réagissait à sa manière, qui en se montrant insupportable, qui en accentuant son mépris pour le rôle qu'on lui faisait jouer jusqu'à ce qu'il en devienne intolérable, qui en étant parfaitement absent ; quant à moi, je me réfugiais dans l'alcool. Encore faudrait-il expliquer ces comportements, et l'on verrait que chaque fois, s'ils ne sont pas à proprement parler justifiables, ils ne sont pas non plus condamnables, contrairement à ce que les apparences laisseraient croire.

Pour ma part, donc, j'étais un petit Pinocchio avec un héritage : mes parents, mes Gepetto à moi, m'avaient transmis certaines valeurs.

Et, aussi singulier que cela puisse sembler – surtout si l'on considère la réputation que l'on fait aux personnes engagées dans ce métier qu'est le show-biz –, une grande partie de mes problèmes m'est venue des valeurs positives que m'ont léguées mes parents, comme celle de se sentir responsable ou encore celle de prendre soin des autres.

En effet, des personnages importants, en l'occurrence les décideurs de GLEM, m'avaient fait confiance. Ils avaient parié sur moi et investi sur moi, du temps, de l'argent, des moyens. Je me sentais engagé. Plus le droit de faire défaut. Je n'aimais pas le concept marketing des boys band ? C'était mon problème, à gérer en privé. En public, je soutenais mon image jusqu'au bout. Je pouvais souffrir que l'on ne comprenne pas ma position, que l'on confonde ce que j'étais réellement, ce que je désirais vraiment, avec l'image que je donnais de moi, je n'en laissais rien paraître. J'encaissais cette méprise et je m'entêtais dans mon attitude.

Dans la même veine, je me sentais responsable des autres membres du groupe. Nous dépendions, pour ce qui était de notre présent, comme pour ce qui pouvait en être de notre avenir, du succès d'Alliage. Il ne fallait pas que, par mes écarts, je mette le groupe en péril, car ainsi je mettais tous ses membres en péril. Alors, pour cette raison encore, j'y allais à fond. Et lorsque des tensions se faisaient sentir, entre nous ou avec l'extérieur, je m'interposais, j'encaissais de nouveau, j'absorbais, pour limiter la casse.

Évidemment, je ne sortais pas indemne de ces épreuves. Je prenais des coups qui ne m'étaient pas destinés. Je subissais des injustices. Je vivais dans une tension permanente, celle du travail, celle de l'idée que je me faisais de moi-même et qui s'effaçait, disparaissait dans les brumes du passé. Que pouvais-je faire pour répondre à cela ? Décompresser, à ma manière, rock'n'roll. C'est-à-dire en plongeant dans la nuit.

Je continuerai comme cela, jusqu'à la fin. Et lorsque, par vanité, par orgueil, par des comportements agressifs, violents (parce que certains d'entre nous cesseront de relativiser et commenceront à croire, eux aussi, à l'image fabriquée, à confondre, eux aussi, le concept et les personnes), Alliage sera mis en péril, j'en éprouverai une profonde tristesse. Non tant à cause de la disparition du groupe, qui était, en réalité, programmée depuis le début, que pour le gâchis et l'irresponsabilité dans laquelle je me retrouverai plongé.

Pour l'instant, nous rebondissons de manège en manège, dans le bruit et l'agitation de la fête foraine du show-biz. Sons de cloches, lampions, odeurs de bon-

bons, sirènes des attractions, du matin au soir, du lever au coucher. Nous ne quittons pas notre farandole. Dès l'aube, une voiture nous attend pour nous conduire à une séance photo. Toute la matinée à se faire prendre sous tous les angles. Nos trognes, pas celles des autres ; nous, au centre de l'objectif, au centre de l'attention. La séance achevée, on nous embarque de nouveau, direction les studios. Nous avons un plateau télé. L'après-midi nous le passons sur place, pour les répétitions, les mises au point. Quand nous ne travaillons pas directement sur le plateau, nous travaillons encore, en répondant aux questions des journalistes qui nous accompagnent partout où nous allons. Finalement, tout est calé. Mais la nuit est tombée et l'émission est sur le point de commencer. Alors nous restons et attendons. Il est sept heures du soir. Nous entrons en scène. Nous faisons notre numéro. Puis nous attendons, sagement, nous restons là, jusqu'au bout, jusqu'à la fin de l'émission. À minuit, enfin, nous sommes libres mais saoulés de lumière, de cris, de crises, de travail, de paroles, d'images, de fausse sympathie, saoulés et trop fatigués pour envisager d'aller simplement se reposer. Nous sommes libres, rendus à nous-mêmes, libérés d'Alliage. Et comme toujours, nous nous séparons. Chacun dans son coin. Moi, j'ai faim. Et puis la tension de la journée n'est pas résorbée. Alors, je vais dans un pub, manger un morceau, boire quelques bières, quelques whiskys, avec des gens que j'ai rencontrés sur le plateau, des musiciens, des techniciens, qui, comme moi, ont faim et soif. Très vite il est deux heures, trois heures du matin. Le whisky m'a embrumé l'esprit. Je n'ai pas envie d'aller me coucher. Je sais que j'ai mes entrées partout, dans les boîtes, dans les clubs, que le monde de la nuit m'ouvre ses portes. À cette heure avancée, je suis libre de mes obligations pour GLEM, qui ne reprendront que demain, je peux faire ce que je veux. Je finis donc la nuit avec ceux qui veulent bien me suivre, dans les boîtes. Je fais la fête. Je me saoule d'une autre manière. Je prolonge, sous ma responsabilité et avec l'alcool, l'ivresse de la journée. Quand je rentre chez moi, au petit matin, les gens normaux commencent à s'éveiller. Moi, je vais m'effondrer quelques heures avant de repartir pour une nouvelle tournée... sur le même modèle.

Il est vrai que, parfois, le programme change. Il arrive qu'il soit totalement délirant, comme ce jour où nous avons dû faire trois galas successivement. Là, les clichés étaient tellement rassemblés que même les quatre Pinocchio que nous étions avaient du mal à y croire. Et pourtant, nous avons dû nous soumettre à l'évidence puisque nous avons chanté et dansé. Journée caricaturale. Départ du groupe de l'héliport de Paris. Un hélico doit nous conduire à deux cents kilomètres de Paris où nous attend notre premier public. L'appareil atterrit sur une pelouse, au milieu des hurlements d'une foule d'enfants excités. Comme dans un film, nous débarquons, assaillis par les acclamations de nos fans. Nous nous précipitons sur la scène. Nous donnons notre gala, prenons à peine le temps de saluer et nous nous engouffrons dans l'hélico qui patiente, pales tournantes, pour nous conduire dans le nord de la France. Là, nous retrouvons les mêmes scènes de liesse et de délire. Deuxième gala bouclé. Le temps de nous changer et l'on nous transfère à l'aéroport, où un avion doit nous conduire à l'autre bout de la France pour un troisième gala, de la même intensité que les deux autres. Le lendemain, nous devons être à Paris pour une séance photo.

Des souvenirs comme celui-ci, je devrais en avoir plein. Et j'en ai, en effet, mais ils se confondent dans ma mémoire, s'entremêlent, se superposent. Dans leur succession, toutes les journées se ressemblent. Il n'y a rien en elles qui permettent de les distinguer, ni les événements, ni les rencontres, et moins encore les sentiments qu'elles sont incapables d'engendrer. Car c'est peut-être cela le pire, ces heures qui s'écoulent sans qu'il en résulte la moindre pensée, le moindre sentiment. Vrais petits pantins de bois, Pinocchio articulés par des montreurs, nous passons d'une obligation à une autre.

Telle était notre île aux enfants. Il ne me poussait pas des oreilles d'ânes, mais me naissaient des ulcères. Avec cette autre différence que mes plaisirs n'avaient pas le goût naïf du jeu, mais celui, plus vicieux, de la gloire.

Mais de quelle gloire s'agissait-il ? Celle qui nous était tombée dessus était en réalité le fruit de la volonté et du travail d'autres personnes. Nous n'étions, ne l'oublions pas, qu'un produit marketing imaginé et élaboré par une maison de production. Et, même si nous nous laissions complaisamment étourdir, nous ressentions au fond de nous un malaise, le sentiment d'un décalage auquel il nous fallait répondre.

Et c'est vrai que je me sentais coupable. J'avais l'impression déplaisante que la gloire qui m'était échue, avec toutes ses conséquences, était imméritée, qu'elle ne m'appartenait pas en propre. Alors, pour compenser, j'essayais de me montrer impeccable dans le travail, de ne pas démériter. Mais j'étais sans illusions : je savais que ce n'était qu'une compensation, qu'une manière de m'excuser de profiter ainsi. Et le soir venu, je me saoulais la gueule pour oublier. Est-ce une bonne solution ? Je n'en sais rien. Sans doute devais-je être, à ma manière, insupportable à mon entourage. Je l'étais au moins à mes yeux.

C'est parce que j'avais choisi cette voie que je me montrais particulièrement sensible à l'environnement qui jouait sur ce double aspect au point de nous rendre la vie impossible. Toute la sainte journée, on nous faisait comprendre que nous étions extraordinaires, que notre succès était extraordinaire, que ce qui nous arrivait ne s'était plus vu dans le métier depuis Claude François, que ceci, que cela, gloire, paillettes, encens ! Mais régulièrement, une à deux fois par semaine, fusait une réflexion blessante, pas du fait de nos proches, d'ailleurs, pas du fait de l'équipe de GLEM qui nous a toujours soutenus, mais des gens qui nous accompagnaient, qui traînaient accrochés à nos basques, des réflexions incisives pour nous remettre à notre place, nous faire comprendre que nous n'étions rien, que des gosses de passage ; paroles inutiles, car nous le savions, mais que l'on entendait et qui nous faisaient mal.

En outre, dès cette époque, peut-être du fait que, me sentant « coupable », je suis plus attentif à l'ambiance et aux rapports entre les êtres engagés dans cette aventure, dès cette époque, donc, considérant les tensions qui se manifestent en coulisse, les inquiétudes sans cesse plus prégnantes de notre entourage, une chose me paraît évidente en dépit du succès : nous allons vers le *clash*.

Singulièrement, c'est une idée que personne ne veut évoquer.

Comme j'inspire plutôt confiance, on se confie aisément à moi. Les gens viennent me voir, pour parler, pour donner des conseils. Or, je remarque que, de plus en plus, on me pousse à intervenir. On me dit de faire quelque chose pour calmer les ardeurs de Quentin, ses sautes d'humeur. Mais je ne suis pas en mesure de le faire. Moi, moins qu'aucun autre. Et lorsque je suggère que plutôt que calmer Quentin, il vaudrait mieux, peut-être, tout arrêter, mettre un terme à l'aventure, les visages se ferment. On ne veut rien entendre. Non, non ! Il ne faut pas s'arrêter ! Il faut continuer. Et c'est pourquoi il faut trouver une solution pour calmer Quentin. Cercle vicieux.

D'un autre côté, à la décharge de Quentin, ce qu'il fait n'est pas évident, et personne dans le groupe, ni Brian, ni Roman, ni moi-même, c'est clair, ne peut le faire à sa place. En outre, il y a la pression. Là aussi, il faut insister. Cette pression que nous met la direction pour que l'on poursuive notre route, que l'on continue à bien marcher, à rapporter. Comme je viens de le dire, quand, par exemple, je laisse entendre qu'il est peut-être temps, pour GLEM, de penser à nous, à notre avenir, à nos carrières individuelles, lorsque je propose timidement l'idée que je me fais de la mienne, un *single*, quand je veux leur faire écouter un projet, une maquette, que font tous ces décideurs ? Ils hochent la tête et me disent : « On verra. Pour le moment tu continues avec Alliage. » Traduction : « T'occupe, petit, fais ton boulot, c'est tout ce qu'on attend de toi. Nous, on manage. » Mais ils ne managent rien, ils ne contrôlent plus rien. C'est clair ! S'ils me demandent de faire quelque chose pour calmer Quentin, c'est bien qu'ils ne peuvent plus rien maîtriser ! Et de fait, quand la tension est trop forte, ils font le dos rond ou ils gueulent, après nous, entre eux, sur les sous-fifres, sur tout ce qui leur tombe sous la main. Mais jamais dans le bon sens. Comme un débordement nerveux. Des colères pour exorciser leurs angoisses, leur incapacité à maîtriser les événements. Des colères incohérentes et absolument pas constructives. Alors, tout ça mis bout à bout, ça explique les dérapages.

Titanic

Reste que ces inquiétudes naissantes, ces tensions, ces tiraillements, le doute qui s'installe aussi vis-à-vis des responsables de GLEM, tout cela commence à me ronger. Il m'arrive, à présent, de traverser des moments de solitude extrêmement pesants, pénibles. Avant, je recherchais la solitude pour méditer. Maintenant, je la fuis parce que je ne sais plus quoi en faire. Les statues du Bouddha, les bâtonnets d'encens dont j'ai encombré un temps mon appartement sont devenus des objets de décoration, inutiles. Ils n'ont pas de place dans l'univers de bruit et de presse qui est le mien à présent. Ils ne peuvent plus remplir le vide de mes solitudes. Rien ne peut le remplir, en fait. Je ne m'appuie que sur des illusions à l'intérieur desquelles je fuis, toujours plus vite. Elles ne peuvent pas m'aider, ces illusions. Elles ne peuvent que m'entraîner, me faire couler plus profondément. Et elles m'entraînent.

Je sors de plus en plus. Je bois de plus en plus. Durant les galas, en dehors des galas. Bruits et excitations de la nuit pour oublier mes tracas, mes angoisses. Alcool pour noyer mes soucis, la détresse qui rôde, voilà ce qui, aujourd'hui, remplace la méditation. Mais, en réalité, mes sorties sont de moins en moins mondaines et, tout aussi bien, mon alcoolisme est de moins en moins mondain. Toujours *smart*, sans doute, toujours branché. Je continue, mais sans le goût, le plaisir et l'ivresse. J'avance comme une mécanique, un automate. Comble de malheur, je suis, par constitution – héritage paternel peut-être –, particulièrement résistant à la nuit et à l'alcool. Conclusion pratique : j'écluse énormément. Et je gonfle. Ma petite « gueule d'ange » s'empâte, s'alourdit. Mon esprit flotte dans des vapeurs d'alcool dont je me débarrasse de plus en plus tard dans la journée.

Je ne sais plus ce qu'est le repos, la paix. Un soir, dans mon appart du square Charles Laurent, comme je suis en train de travailler avec un ami bassiste, sur un des milliers de projets que j'esquisse à cette époque, un flash, tout à coup, illumine la pièce. Un éclair, sans tonnerre, qui m'inquiète. Je sors. C'est une bande de jeunes complètement hystériques. Ils ont eu mon adresse par je ne sais quel moyen et ils me mitraillent en hurlant. Je dois déménager.

Je rassemble mes affaires et je m'installe à Neuilly. Je reprends l'appartement d'une amie. C'est plus grand qu'à Cambronne. En conséquence, le loyer est plus onéreux. Qu'importe ! Ce déménagement me fait du bien. Je m'éloigne de mes habitudes. Je retrouve un certain calme. Par la même occasion, je retrouve un peu mes esprits et, soudain, je mesure ma déchéance.

À vrai dire, je la sentais me ronger l'âme depuis un moment. Mais c'était une sensation viscérale que je traînais avec moi, qui était devenue partie de moi. La couleur délétère dans laquelle baignaient tous mes gestes. Si proche, imprégnant tellement ma nouvelle existence, que j'en étais presque venu à l'aimer ! Presque. Avec le déménagement, je secoue la poussière de mes pieds. Et ma déchéance me saute au visage comme un monstre intolérable.

Je décide alors de faire venir ma mère. Dans cette folie, je l'ai un peu délaissée. J'en éprouve du remords. Je me dis aussi qu'avec elle à la maison, je pourrai retrouver un certain équilibre. Elle me sera comme un repère, une exigence.

Mais cela ne marche pas comme prévu. Malgré sa présence, je continue mes frasques, mes dérives, sauf qu'en plus, je la fais souffrir. Elle ne supporte pas de me voir vivre ainsi.

Il faut dire que c'est la pleine époque du triomphe et de la gloire. Les résultats de notre collaboration avec les Boyzone dépassent toutes les espérances. Je ne sais plus combien de disques vendus ! Suffisamment en tous cas pour que nous ayons l'impression d'être des rois. L'horizon semble parfaitement dégagé pour nous.

Si ce n'est pas l'autoroute du bonheur, c'est du moins celle du succès.

Entre les innombrables galas, plateaux télé et réceptions, nous faisons salle pleine au Casino de Paris, où nous passons en tête d'affiche, avec, en première partie, Charly et Lulu, qui nous parodient. Une dérision – je dirais presque, puisqu'ils font notre première partie, une autodérision – qui me convient à merveille. Je ne suis pas dupe de ce que je fais, ni de ce que je suis. J'en profite, d'ailleurs, pour me lier d'amitié avec Charly Nestor.

C'est aussi à ce moment, dans l'euphorie du triomphe, que mes producteurs, Louvin et Moyne, me font clairement comprendre que je peux espérer une carrière, une suite après Alliage. Des promesses qui, je l'avoue, me font tourner la tête. Car, si j'ai un certain recul sur Alliage, c'est que je ne pense pas y rester toute ma vie, que je vois toujours cette aventure comme une étape avant autre chose, avant une carrière que je conduirais indépendamment. Évidemment, lorsque cette autre chose se profile, quand la possibilité d'une telle carrière prend forme et figure, avec la caution de Louvin ou de Moyne, je plonge sans réfléchir.

Résultat, dans cette euphorie, au lieu de rester avec ma mère, je passe mon temps dehors. Je suis de toutes les fêtes, de toutes les réceptions. Avec les uns, avec les autres. Et quand je rentre, au petit matin, c'est pour dormir. Ce n'est pas une vie pour une mère. D'autant qu'elle, pendant que je fais la bringue, reste à la maison et réceptionne toutes les factures. Ces factures que je retrouve sur ma table et que j'écarte d'un geste énervé.

Parce que je sais, sans vouloir faire de calculs, que ces factures, je ne peux pas les honorer, sinon sur le découvert que m'accorde le banquier. Cela fait un moment déjà que je les accumule. C'est même leur tas, leur accumulation qui, en même temps que mon déménagement, m'a éveillé à ma situation réelle. C'est encore pour cela, en partie, que j'ai demandé à ma mère de monter. Mais paradoxalement, en apparence du moins, au lieu de prendre à bras-le-corps les problèmes qui me cernent, je m'en détourne. Je fuis.

Je m'absente le plus longtemps possible. Tant que je suis dans l'environnement de GLEM, dans mon rôle de membre d'Alliage, tout m'est ouvert, tout est beau, tout est facile. Quand je rentre chez moi, malgré tout l'amour de ma mère, je chute dans la plus âpre réalité, la plus insipide : l'argent, les dettes, les créances. Dehors, je suis adulé, choyé, respecté. Chez moi, je me sens menacé, mis au pied du mur. Chez moi, je ne suis qu'un gosse criblé de dettes, qui sent venir le malheur. Dehors, je suis une star invulnérable que tout le monde envie, sauf certains, les « puristes », ceux qui ont réussi à ne pas se faire bouffer par le système ; mais ceux-là, c'est moi qui les envie. Oui, je devrais me reprendre, affronter cette réalité qui me guette et m'assaille jusque dans mon appartement, mais je préfère fuir, oublier, jouir de la facilité. Je préfère le mirage, jusqu'au jour où…

Mon comptable débarque. Ma mère est là. Il vient pour tirer la sonnette d'alarme. Il faut que j'arrête. Je

137

ne dois plus inviter quarante personnes tous les soirs en boîte. Je ne dois plus m'habiller dans les boutiques de l'avenue Montaigne. Ma situation financière est extrêmement grave. Elle n'est pas désespérée, mais pas loin. Ma mère est blanche. Moi, la honte m'envahit. Je n'ose pas la regarder dans les yeux. Je pense à la manière dont on a vécu à Cagnes. Je pense aux avertissements de Louvin, de Moyne, de Fournier. Ils me disaient bien pourtant, eux aussi, d'arrêter de bouffer mon argent en avance sur mes royalties. Que ça allait mal finir. Et que, lorsque la catastrophe arriverait, j'aurai du mal à remonter la pente. Mais je ne voulais pas les écouter. Trop fier. Pas besoin de conseils. Je sais ce que je fais !

Armé de cette même fierté, je décide alors de m'en sortir seul. Ma mère repart dans le Sud, emplie de peine. Je l'ai un peu poussée. Il faut dire que le rapport du comptable m'a secoué. Il m'a ouvert les yeux aussi. Dramatiquement. Je m'attends, d'un jour à l'autre, à recevoir la facture de mon comportement ignoble et je ne veux pas que ma mère soit présente lorsque cela arrivera.

Avec le comptable et ma mère, je sens enfin mes oreilles d'âne pousser. Mais avant d'affronter ma situation, je dois encore faire un tour sur l'île aux enfants, en l'espèce, l'île de la Réunion, notre sommet, notre dernier grand éclat, notre plus belle attraction, nos montagnes russes.

La Réunion ! Quinze jours sans toucher terre. Rien d'extraordinaire, à vrai dire, mais si l'on assemble tous les morceaux, une mécanique à broyer l'âme ou plutôt à la pourrir du dedans. Imaginez.

Un vol de nuit, en première classe. Je ne sais combien d'heures. Rien à faire sinon à sourire à l'hôtesse qui vous apporte des flasques de whisky pour passer le temps. Durant le trajet, j'écoute d'une oreille distraite les conversations du staff qui nous accompagne. Elles ont trait au groupe, aux projets, aux ambitions, aux personnes, aux carrières. Des problèmes internes : je ferme les oreilles. À l'école, je n'ai jamais aimé disséquer les grenouilles. Je préfère sourire à l'hôtesse. Pour être franc, je lui souris beaucoup et je me pinte. Lorsqu'on atterrit, la sécurité de l'aéroport nous attend au pied de la passerelle de débarquement. Tandis que je sors à peine de mes brumes et relents d'alcool, on m'apprend, sous un soleil torride, qu'il y a une émeute. Deux mille fans en délire ont envahi le hall ! La police et la sécurité sont venues nous protéger ! Il est onze heures du matin. Je ne comprends pas grand-chose, à cause de ma gueule de bois et du décalage horaire, et je me retrouve enfermé, avec Quentin, Roman et Brian, dans une pièce, à l'aéroport, en attendant qu'on trouve une solution. La solution ? Vingt hommes faisant cercle autour de nous pour forcer le blocus de la foule surchauffée. Nous mettons une demi-heure pour atteindre l'entrée. Une demi-heure au milieu des cris et des hurlements.

La porte franchie, on nous jette dans une voiture et on nous conduit, toutes sirènes hurlantes, motards devant et derrière, une escorte à en perdre la tête, jusqu'à notre hôtel. Lorsque je descends de voiture, je lève la tête et j'écarquille les yeux.

Cela fait deux heures que nous avons atterri, mais c'est seulement maintenant que je peux voir le ciel et respirer l'air de la Réunion.

Je devrais être impressionné par la folie de l'accueil, tous les clichés de la gloire accumulés. Et je le suis. Mais insuffisamment. Je vis dans une routine cotonneuse. Une évidence ouatée. Organisation GLEM, système star, succès, notoriété. Lorsque nous sommes sortis de l'aéroport, le staff nous attendait auprès des voitures. J'ai lu dans leurs yeux qu'ils étaient satisfaits. Ils admiraient leur œuvre. Alliage est cette œuvre. Je suis cette œuvre qu'ils admirent. Et je sais pertinemment que c'est la *leur*, non la mienne. Et je me contemple dans leur regard. Je me vois avec leurs yeux.

L'hôtel qui nous accueille est un quatre étoiles, comme d'habitude. Une suite pour chacun de nous. Une chambre pour le repos, une pièce-salon pour recevoir les journalistes. Ces derniers temps, ils s'intéressent de plus près aux membres du groupe. Rançon de la gloire ? Ils veulent nous connaître individuellement. Je ne sais pas si je dois m'en réjouir. D'un côté, cela me permet de parler, d'exposer mes idées, mes désirs, ma personnalité. Avec Roman, nous nous tenons généralement en retrait lors des interviews de groupe. Nous laissons le crachoir à Quentin et Brian. Ils sont plus à l'aise que nous ! D'un autre côté, j'ai appris à mes dépens à redouter les journalistes. On m'avait dit pourtant de m'en méfier, comme on m'avait dit de prendre un comptable pour gérer mes affaires. Je n'ai pas pris de comptable, j'ai été naïf avec les journalistes. Ils n'ont pas écrit du mal de moi, mais certains d'entre eux ont abusé de ma naïveté. D'un jugement porté au passage, un peu à la légère, d'une plaisanterie, d'une confidence glissée dans la détente d'un verre partagé, ils ont fait des montagnes qui me sont revenues comme des gifles, incompréhensibles. Eux qui se prévalaient de dix années d'expérience, qui me faisaient comprendre que je n'étais qu'un gamin, pourquoi n'ont-ils pas tiré profit des leçons qu'ils me donnaient, pourquoi, au lieu de protéger le gamin inexpérimenté, l'ont-ils accablé ? Mais plus qu'eux, c'est tout l'environnement qui se livre au même jeu, créant une tension permanente et insidieuse dans laquelle il me faut vivre, dans laquelle je m'épuise et me détruis.

Mais là, je suis trop fatigué pour penser à eux, aux regards de travers, aux soupçons, aux rumeurs qui font l'ordinaire de notre petit monde. Nous sommes tous trop fatigués. Le gala est pour demain. Alors, nous profitons du répit. Après le bain de foule, usage et jouissance des commodités. La suite, la piscine, le bar de l'hôtel, puis dîner en ville. Toujours en groupe. Alliage en goguette, accompagné de Claude Fournier, Tata, Pompom et Luc, notre garde du corps. La présence de Claude Fournier me rassure. J'éprouve du respect pour lui, pour son professionnalisme, pour sa gentillesse. C'est une espèce de borne lumineuse pour moi, presque le seul lien qui me rattache à l'humanité sensée. Malheureusement, je l'ignore, mais c'est la

141

dernière fois qu'il nous accompagnera. Du séjour à la Réunion, il dira : « J'ai vécu l'enfer au paradis. » Et du jour où il ne sera plus là, les choses commenceront à mal tourner. Quoi qu'il en soit, j'ai beau être au bout du monde, de l'autre côté de l'océan, dans une île de rêve, je ne quitte pas l'univers de GLEM. Seul change le décor.

Le lendemain, direction le Tampon, où nous devons nous produire. Un immense terrain vague nous attend, à une heure de Saint-Louis. Scène démesurée. Rampe de spots. Gros son. Nous sommes seuls sur ce concert. Pas même de première partie. Seuls pour l'événement. Et on nous annonce du monde. Pour l'instant, nous faisons la « balance », la mise au point du spectacle, les réglages. Le taf ordinaire de tout groupe se préparant à donner un concert ? Pas vraiment. Parce que nous ne sommes qu'un boys band. Et pourtant, il y a de quoi s'y croire. Et même si, comme moi, on tente de conserver un certain recul et on s'autorise des excès, quand vient le moment d'être sérieux, on répond présent. Et donc, on se retrouve, sur cette scène, dans les conditions d'un véritable groupe. Donc, donc, donc... On est déconnecté du monde. Comme si cela ne suffisait pas, l'hôtel est trop loin pour qu'on y retourne. Il n'y a rien alentour, qu'une terre brûlée. Alors on s'enferme dans les loges en préfabriqué pour attendre la tombée de la nuit, le début du concert. Jusqu'à la nuit, je ne vois rien du lieu, sinon le ciel bleu, plombé, je ne sors pas du rôle que j'ai endossé depuis le départ de Paris.

Arrive le concert. Quatre-vingt mille personnes. Plus de monde que pour le dernier visiteur de la Réunion – que Dieu ait pitié de mon âme : plus que le Pape lui-même ! Quatre-vingt mille personnes, ça fait du monde ! Un choc, malgré l'espèce d'habitude que je commence à prendre. Mais quoi ! Depuis mon arrivée, je suis en apnée mentale. Je suis plus préoccupé par les rumeurs qui pourraient courir sur moi, par mon image, par mes gestes qui pourraient être interprétés de travers, je suis plus soucieux par ce qui se passe dans le petit monde clos de GLEM, par les cris, par les crises, les coups de gueules incessants, les coups de fatigues, plus pris par tout cela que par la réalité, en l'occurrence l'ampleur de l'événement. Quatre-vingt mille personnes ? Un chiffre, un record, un souvenir, guère plus.

Ce qui suit est dans la même veine d'irréalité, mais dans la détente. Pas de concert, mais des vacances, pendant quinze jours, aux frais de GLEM. Et, aux frais de GLEM, je m'éclate dans ce paradis de la glisse et du surf. Tout ce temps-là, les factures s'entassent dans mon appartement parisien. Je le sais, mais je ne veux pas y penser. Surtout pas. Pourquoi songer au déplaisir quand tout, à l'instant, est si agréable ? Évidemment, il faudra bien que je me confronte à la réalité à mon retour, et le choc sera rude. Alors, je retarde l'échéance. Et quand la lucidité me visite, je me saoule la gueule pour la noyer. Ou, pour le dire autrement, l'illusion et l'alcool se succèdent pour créer un écran entre moi et la réalité. Tant qu'Alliage marchera, l'illusion contrebalancera l'alcool. Quand

Alliage perdra de la vitesse, l'alcool, de plus en plus, se substituera à l'illusion.

De retour à Paris, je retrouve la situation déplorable que j'avais laissée. Et je ne suis pas plus avancé, pas plus riche d'un kopeck. Les hôtels, les quatre-vingt mille personnes, le soleil, le surf, la plage, disparaissent dans la froideur et la solitude de mon appartement. Images trop débiles, trop inconsistantes pour s'opposer à l'angoisse qui étreint mon cœur dès que j'en franchis le seuil. Je sais qu'il va me falloir « payer », les quinze jours que je viens de vivre n'y feront rien, et je le redoute.

Pourtant, durant tout ce temps, je n'ai pas insulté les gens, je n'ai pas giflé une maquilleuse parce qu'elle m'avait raté, je n'ai pas fait de scandale dans les lieux publics, je n'ai pas fait de caprices non plus. Mais j'étais tellement plein d'une morgue doucereuse, d'une suffisance dissimulée sous un vernis d'humilité ! J'avais un côté « je sais tout, tu ne m'apprends rien ». Fasciné, en fait, par le milieu, les façons du milieu, ses travers, où tout le monde prétend tout savoir sur tout le monde, être au courant des dernières histoires, avec une moue entendue qui vous laisse entendre : « Je suis du sérail, dans le secret. On ne me la fait pas. »

Je m'étais constitué une cour, aussi. Pour faire la fête, comme avec l'équipe de mes tournées, dans le même esprit, je veux dire, pour faire partager ma

144

« fortune ». Du moins le voyais-je ainsi au début, car le vice de cette situation m'a rattrapé bien vite. Finalement, je me suis retrouvé entouré de gens de passage, de profiteurs, que je n'aimais pas mais qui me flattaient, qui m'écoutaient parler comme si j'étais un dieu, qui me donnaient l'impression que j'étais malin, que j'en savais bien plus que ce que je savais en réalité. Ils me laissaient parader et me suçaient le sang. C'est de cette troupe mouvante, anonyme, dont je m'étais environné ces derniers temps, que je devais me débarrasser. Selon les conseils du comptable. Selon l'évidence elle-même.

Je devais me libérer de ces gens qui faisaient mon horizon exclusif, et de l'image qu'ils me renvoyaient. De leur présence, que je favorisais au détriment de mes amis, et aussi des quelques êtres honnêtes que je voyais encore. Parce qu'il y en a eu, tout de même. Mais, parce qu'ils étaient honnêtes, justement, ils me disaient que j'allais dans le mur, et cela ne me plaisait pas. Alors je les écartais, pour me faire mousser auprès des autres. Le tout sous le couvert d'une fausse humilité, d'une modestie affichée, qui conduisait mon entourage à me prendre pour quelqu'un de bon et de généreux tandis que je le trompais et achetais son affection en contrefaisant ces vertus sacrées.

Quand je pense à tout ça, dans mon appartement de Neuilly, la honte me fait mal. Elle me prend aux tripes. Pas seulement pour la charge d'aveuglement que ma stupidité implique. Pas seulement pour mes reniements. Mais surtout pour tous ces gens sincères que j'ai pu côtoyer et que j'ai dû blesser, d'une manière ou d'une autre. Ces gens qui me voulaient du bien et que j'ai écartés.

Je me retrouve seul et déprimé.

J'ai honte.

Le groupe va mal.

La Réunion ? Un ultime éclat qui annonce le déclin d'Alliage, bouffé de l'intérieur par les tensions, et bouffé au dehors par la mode inconstante qui se détourne des boys band pour d'autres élus.

On approche de la fin. De toute manière, l'aventure ne m'intéresse plus. Je voudrais faire quelque chose mais je n'y parviens pas. Je n'ai pas d'énergie. Rien ne me retient. Je devrais me reprendre en main. Je me laisse aller. Je tente de préparer la suite d'Alliage. Je répète avec des musiciens. Mais je n'ai pas le cœur. Je n'arrive pas à y croire.

Louvin m'avait fait des promesses. Il m'avait fait miroiter un avenir en me faisant croire qu'il fondait des espoirs sur moi. Il ne les tient pas. Il essaie de tirer le maximum de ce qui reste d'Alliage. Et moi, je n'ai pas la force de le pousser. Je me regarde, et ce que je vois ne me plaît pas. Et comme je ne me plais pas tel que je suis devenu, j'ai l'impression que je n'ai plus le droit de rien exiger, de rien demander. À personne. Alors, je continue, docile, avec le groupe, et je m'enfonce un peu plus dans l'alcool.

Des rumeurs commencent à courir dans Paris. On dit que je me drogue. On me voit, tous les soirs, ivre mort, les mains moites, le visage gonflé, dans les clubs privés de la capitale.

C'est à ce moment que surgit dans ma vie un type : un mythomane pur, total, dangereux. Le type qui rentre chez vous, un soir – et il l'a fait – avec les clefs d'une Venturi rouge, intérieur beige. Cadeau ! Il me tourne la tête. Il a décidé de s'occuper de moi, de ma carrière. Il veut faire de moi une star internationale. Il vient me chercher à l'aéroport, retour de gala, en Mercedes S 500 avec, dans le coffre, une Fender Jazz Bass. Cadeau encore ! Il m'invite dans les plus grands restos de Paris. Il m'entraîne dans la visite d'un hôtel particulier, avenue Foch, qu'il projette, dit-il, d'acheter. Il m'embrouille. Mais je crois en lui. D'autant qu'il embrouille tout le monde. Les professionnels les plus endurcis du disque, du show-biz, se laissent avoir comme moi. Louvin, Moyne, et d'autres. Sans doute, rien ne se fait, concrètement, mais j'ai l'impression que c'est pour demain. J'y crois. Pour demain ! Avec lui, je retrouve de l'énergie.

Je suis revanchard. Je vois en lui la possibilité de m'imposer contre l'avis de tous et de faire un immense bras d'honneur à la profession qui commence à me fuir. Bien sûr, ce qu'il me fait miroiter n'est que du vent. Manipulation d'escroc dont je n'ai jamais su jusqu'à quel point il se mentait à lui-même, ni d'ailleurs d'où il tirait tout l'argent qu'il avait. Mais je plonge. Je le suis dans son délire.

Heureusement, probablement parce que Dieu ne m'a pas abandonné, tandis que moi, je l'ai oublié, ce type disparaît avant d'avoir complètement ravagé ma vie. J'ignore pour quelle raison. J'imagine une affaire « délicate » qui l'aurait obligé de s'éloigner.

Mais il y a des séquelles. Notamment certaines personnes avec lesquelles, à cause de lui, je me suis brouillé.

Après sa disparition, de nouveau je me retrouve seul. Plus fatigué qu'avant, plus las. Mes vieilles Timberlands, mes jeans déchirés, mes chemises bûcheron me manquent. Terriblement.

Plongée dans la nuit

C'est la fin.

Alliage se disloque.

J'en ai fait mon deuil. Je ne compte plus guère sur le groupe. Il continue à alimenter ma gloire éphémère, à repousser l'échéance bancaire qui me pend au nez, mais c'est tout. Les tensions en son sein, les chamailleries permanentes, ridicules, ont fini par me lasser. Au début, cela me mettait hors de moi. Je m'accrochais. Je ne supportais pas l'idée qu'en nous déchirant sottement comme nous le faisions, nous gâchions la chance extraordinaire qui nous était donnée ; qu'en nous engueulant comme des gosses, pour les motifs les plus futiles, nous nous foutions délibérément en l'air. Oui, au début j'ai renâclé. Puis j'ai vu que je ne pouvais rien y faire. Et ça m'a rendu triste. À présent, ça n'a plus grande importance. J'attends la fin d'Alliage. Elle devrait arriver d'un jour à l'autre.

Un soir, sur scène, lors d'un concert en province, devant huit cents personnes peu enthousiastes, à la stupéfaction générale, Quentin annonce son départ. Coup de théâtre ! Il quitte le groupe. « Pas tout de suite, explique-t-il néanmoins, dans trois mois. » Il part pour entamer une carrière solo. Louable, j'en conviens, mais ce n'était peut-être ni l'heure, ni le lieu, ni la meilleure façon de l'annoncer. Brian, Roman et moi, nous nous regardons, sans comprendre. Pourtant, surprise, au fond de moi, je suis presque heureux. Quel paradoxe... Moi qui depuis longtemps voulais partir du groupe, même quand nous étions en plein succès, je reste, et lui, qui voulait s'accrocher, s'en va. Mais son départ ne change pas grand-chose ; un motif de discorde disparaît, simplement.

Le concert est fini. Il est minuit. C'est samedi soir. Dans la voiture qui nous ramène à Paris, colère générale. Je prends le taureau par les cornes et j'appelle Louvin, directement, sur son portable. Il décroche. Je lui fais part de la situation, puis, au nom du groupe (des trois restants, du moins), j'exige le départ immédiat de Quentin. Pour le reste, on fera sans lui... Louvin acquiesce et nous donne rendez-vous chez lui le lendemain.

Réunion de crise. Le ton est donné. On continue sans Quentin. On ne le sait pas encore, peut-être même que l'on se cache la vérité, mais en réalité... il est déjà trop tard.

La dynamique est brisée depuis un moment. Pas simplement à cause de nous, d'ailleurs. On a trop tiré sur la corde. C'est tout. Nos producteurs et tous ceux qui pouvaient tirer profit de nous. Sans égards pour l'avenir. Obnubilés par l'argent. Tous. Par la rente qu'on représentait. Sans égard pour les personnes aussi, les membres du groupe livrés à eux-mêmes, à leur dérive. On nous a usés. On s'est usé. En attendant le moment de nous abandonner. Et ce moment arrive. Il pointe son nez. La mode est en train de changer. Les boys band cèdent le pas à un phénomène nouveau venu du Canada : les comédies musicales.

À trois, on essaye néanmoins de maintenir la barque à flot. Mais nos concerts se font de plus en plus rares. Les ventes de disques chutent. Les regards commencent doucement à se détourner de nous. Je sens le vent tourner. Un chapitre de ma vie est sur le point de s'achever.

Comme saisi d'un sentiment d'urgence, je décide de prendre les devants. Je dois rebondir avant de me retrouver à terre. Je dois rompre avec cette vie qui meurt et mettre en place quelque chose de nouveau.

Première décision, changer d'appartement.

Je déménage. Je m'installe avec une ancienne petite amie. Je ne supporte plus d'être seul. J'ai peur. Tout part à la dérive. Il me faut des gens auxquels m'accrocher. Un nouveau départ.

Mon nouvel appart est au centre de Paris. Je ne pouvais pas rester en banlieue, pas à Neuilly surtout. Neuilly est trop hanté de mauvais souvenirs. Obscurs souvenirs dont je veux me débarrasser. Neuilly, ses portes doubles verrouillées, ses grosses voitures qui glissent dans la nuit et disparaissent dans des parkings privés, Neuilly avec ses rues désertes me fout les « foies ». J'ai l'impression qu'un malade mental – comme le mythomane que j'ai connu – peut surgir à tout moment du néant et me tomber dessus. Cela m'oppresse. J'ai envie de voir du monde, d'être dans un quartier où il y a du passage.

J'ai tellement besoin de me trouver entouré de présences humaines que j'ai ouvert ma porte à tous mes nouveaux potes. Ce sont essentiellement des musiciens, bourrés de talents, que j'ai rencontrés dans mes virées nocturnes ou sur les plateaux télé. Je travaille avec eux. Je répète. Je prépare un hypothétique album solo. Ma nouvelle carrière. Telle que je l'imagine. Telle que je l'espère. Je ne me rends pas compte de la chance que j'ai. Je ne réalise pas encore combien il est facile, lorsqu'on est célèbre, de rencontrer des gens, de les embringuer dans n'importe quel projet. Et à ce moment là, je suis encore célèbre, sur le déclin mais célèbre. Je ne le comprendrai que plus tard, quand je serai dans la galère, quand tout le monde me fermera la porte au nez parce que je ne serai plus rien.

Pour l'heure, c'est le squat permanent dans l'appart et mon amie devient folle. Elle essaie de tenir, mais trop, c'est trop. Elle finit, et je la comprends, par prendre ses affaires et s'en aller.

Enfin – si je puis dire –, ce que nous attendions tous arrive : Alliage arrête sa carrière ! L'aventure est finie. J'aurais dû me sentir soulagé, profiter de cette fin, même si elle n'est pas très noble, pour souffler, pour me rassembler. Profiter de ce moment de suspens dans mon existence pour faire le bilan des trois années que je viens de passer.

Parce que, finalement, cela n'a duré que trois ans ! Beaucoup et peu à la fois. Beaucoup, si l'on pense à l'abîme dans lequel je suis tombé. Beaucoup, si je considère l'épaisseur d'oubli qui m'environne comme un mur opaque. Mais peu, bien peu, comparé à la mesure d'une existence. Bien peu, en vérité, si je songe à ce que j'étais trois ans auparavant. Bien peu quand je me souviens de mes galères. Trois ans, c'est hier.

Mais je ne veux pas m'arrêter. Je ne veux pas faire de pause. J'ai peur de tomber dans l'oubli. J'ai peur de ne plus pouvoir mener la vie que j'ai menée ces trois dernières années et qui continue de me fasciner, de m'attirer. Non, je ne m'arrête pas. Au contraire, je m'acharne. Je lutte. J'insiste, maladroitement. À tous les niveaux.

D'abord, puisque Alliage est fini, il n'y a plus de raison pour que je n'entreprenne pas la carrière solo dont je rêve. Cette exigence me paraît tout à fait naturelle, le mot « solo » mis à part (mot que je ne supporte pas parce qu'il y a toujours une équipe, toujours).

Et cette exigence me paraît d'autant plus naturelle que, à la différence des folies auxquelles je me suis livré, c'est une idée ancienne et fondée. Elle n'est pas née du succès. Elle a toujours été en moi. Dès le début d'Alliage. Et tout au long de l'aventure. J'ai toujours su qu'elle aurait une fin. Et j'ai toujours pensé qu'il y aurait une suite pour moi. Rebondissant ou glissant, j'ai toujours considéré qu'Alliage était un tremplin.

Flash-back.

Un an plus tôt, au Casino de Paris, à la dernière représentation (je m'en souviendrai toute ma vie), le journal *Le Parisien* titrait : « Quentin la nouvelle révélation : une étoile est née. » Louvin, Moyne, Valéry Zétoun, Pascal Nègre et tous les autres proclamaient, eux, et à tout-va, que j'étais *leur* nouvelle révélation.

Évidemment, j'ai cru en leur version. Ma mère était présente, ce soir là. Ses yeux brillaient. Louvin l'a même saisi par les épaules pour la féliciter d'avoir un fils formidable. La presse, les photographes se massaient autour de moi. C'était extraordinaire.

Autre occasion. Cette fois, c'est une phrase que Daniel Moyne m'a glissée à l'oreille, lors d'un dîner, en compagnie des Boyzone. Nous étions en pleine promotion de notre nouveau *single*. Notre duo avec le groupe anglo-irlandais faisait un triomphe. Nous étions à Bastille, au « Blue Elephant », entourés du staff de Mercury. En plein milieu du repas, Daniel se penche vers moi et me murmure : « Si tu m'écoutes, je ferai de toi une star ! » Ça m'a bouleversé.

C'est avec ces évidences plein la tête, donc, que je vais voir mes anciens producteurs. Il est temps qu'ils passent aux actes, qu'ils assument ce qu'ils ont dit. Mais ils regardent leurs pompes. Je ne comprends pas. Ou plutôt, je ne comprends que trop bien. Ils sont déjà passés à d'autres projets. Ils m'ont oublié en cours de route.

Je ne veux pas leur jeter la pierre. Il est possible qu'ils aient vraiment cru à leurs promesses. Dépassés par les événements, par une réussite incontrôlable, pris eux-mêmes au piège d'un succès qu'ils ne comprenaient qu'à moitié, ils se sont laissé aller à rêver, comme moi. Ajouter à cela que je n'étais pas tout blanc dans l'affaire. Mon comportement général, mes virées nocturnes, ma légèreté avec l'argent, la réputation que l'on commençait de me faire, aussi bien d'ailleurs que la pression que je leur avais mise, quand l'autre mythomane était entré dans ma vie, tout cela n'arrangeait rien.

Mais à ce moment je n'analyse pas les choses. Je ressens leur désintérêt comme un affront, une trahison. Je suis plein d'amertume et, en plus, aux abois. Je ne veux pas céder. Je ne veux pas tomber dans l'anonymat. Il faut à tout prix que je fasse quelque chose. Et plus les portes se ferment, plus je m'affole. Plus je m'entête aussi. Je m'accroche.

Un beau jour, au milieu de l'une de mes folles courses pour rattraper mon image, je croise Richard Cross dans la rue. Cela fait si longtemps que je ne l'ai plus vu ! Richard, c'est l'exemple même des êtres de qualité que j'ai négligés au profit des pique-assiette. Je ne l'ai jamais oublié, mais je n'ai jamais trouvé le temps, non plus, de lui téléphoner, de passer une journée avec lui. Je suivais, de loin en loin, son évolution, par les nouvelles que je pouvais glaner. Lorsque j'ai appris qu'il traversait un mauvaise passe, j'ai ressenti une profonde tristesse. J'aurais dû le contacter, je ne l'ai pas fait.

Or voilà que, tout à fait par hasard, je le croise sur un grand boulevard parisien. Je suis en voiture, il est à pied. De le voir fait bondir mon cœur. Ma mémoire se réveille tout d'un coup. « Richard ! » Il se retourne, me reconnaît et me sourit, de cet extraordinaire sourire d'amitié qui me bouleverse, tant il contredit les visages fermés ou les grimaces hypocrites dont je suis abreuvé. Je voudrais lui parler, mais la personne qui me conduit est pressée. Alors, vite, le numéro de téléphone. On se rappelle.

Seulement, cette année-là, comme les années précédentes mais pour d'autres raisons, je ne trouverai pas le temps de le faire. Il y aura toujours quelqu'un de pressé qui m'accompagnera quelque part. Et quand la tension tombera, quand l'agitation me fuira et me laissera déserté, je n'oserai pas appeler Richard. Que lui dire ?

Quoi qu'il en soit, je m'agite beaucoup. Je veux maintenir mon ancien train de vie. Pour avoir l'impression que j'ai encore ma chance, que j'appartiens encore au milieu.

Je suis déjà dans le fossé, mais je ne veux pas le reconnaître. Mes démarches professionnelles ne donnent rien ? Je n'ai plus de producteur ? Qu'au moins je ne disparaisse pas aux yeux des journalistes, des gens du milieu, du show-biz. Et puis, j'ai tellement l'impression, maintenant, que cette vie m'est naturelle, que c'est ma place, que je suis une star, qu'il m'est impossible d'envisager de déchoir.

Seulement, comme je ne travaille plus, l'argent ne rentre plus. Et mon standing coûte affreusement cher. Trop pour que cela puisse durer.

Très vite, je croule sous les dettes. Je n'ai plus ni de quoi les payer ni de quoi faire patienter mes créditeurs. Mon banquier, vous pensez bien, me lâche. Je reçois des lettres de menace, de mise en demeure. Loyer impayé. Factures impayées. J'attends les huissiers et je ne peux rien faire.

Pour couronner le tout, dans un moment d'ennui, je sors mes vieux 501. Mais je les remets à leur place. Immédiatement. Je ne rentre plus dedans !

Je suis tout seul.

Mes « amis », ceux que j'entretenais, que j'invitais à faire la fête avec moi, ne répondent plus à mes appels. Je dirais même qu'ils m'évitent, maintenant, comme un pestiféré. Ce n'est pas qu'ils aient peur d'être engagés par mes dettes ou de devoir me prêter de l'argent, mais ils m'évitent parce que je suis sur la pente déclinante. Et cela, pour eux, c'est le pire. C'est ce qu'on redoute par-dessus tout dans ce milieu. Une véritable peur panique. Quand quelqu'un commence à tomber, à glisser vers l'échec, la première chose à faire, c'est de s'écarter, de crainte de glisser avec lui. S'il a été votre « ami », vous l'oubliez, vous changez de chemin. Et vous vous mettez en quête d'un nouvel « ami », en pleine ascension, évidemment.

Mes potes musiciens ne me trouvent plus aussi inté-ressant qu'avant. Mes projets, qui les « éclataient » il y a peu, ils ne leur voient pas d'avenir. Et ils se font plus rares. On se souvient aussi, d'un seul coup, opportunément, que je ne suis qu'un ex-membre de boys band. Pas sérieux. Pas « *musicos* ». Pas authentique. Un artiste de boys band, c'est quoi, dans le fond ? Une « gonzesse » qui se trémousse sur de la soupe pour gamin de dix ans ! Rien à faire avec « ça ». Le métier, le vrai, ce n'est pas pour lui. Qu'il reste où il est ! Il se casse la gueule ? Bien fait, c'est la rançon de sa compromission avec le système. Conclusion : mon appart se vide du jour au lendemain.

Je me retrouve seul, toujours plus, entre quatre murs. C'est une situation terrible pour moi. Pas seulement pour ce qu'elle implique à ce moment-là, mais en elle-même. C'est en effet dans la présence des autres que je sens circuler la vie. Les rencontres sont mes moments de grâce quotidienne. Quand les choses vont mal, c'est vrai, j'en arrive à confondre les êtres, leur présence réelle, avec la foule hallucinée, le monde anonyme, l'agitation de la nuit. Mais même là, même au plus bas, ces vagues présences entretiennent en moi l'illusion que la vie circule. Et elles m'empêchent de désespérer. Aussi, me retrouver seul, plongé toujours plus profondément dans la solitude, m'est un drame et une souffrance en soi. Je ne suis pas claustrophobe – je le deviendrai, parmi d'autres symptômes de ma déchéance – mais j'éprouve la solitude comme le fait d'être enterré vivant.

Oui, je me retrouve seul, terriblement seul et plein d'angoisse. Sursautant au moindre coup de sonnette. Craignant de voir surgir, à tout instant, les huissiers qui me prendraient tout et me foutraient en taule.

158

Et mon passé chaotique me tombe dessus. Je redoute ses conséquences. Inquiétude et peur. J'ai honte, aussi, de ce que j'ai fait, et qui m'a conduit où je me trouve. Je n'ai plus envie de rien. Je ne bouge plus de chez moi. Je ne parviens pas à imaginer un quelconque avenir. Pas même un présent.

Je me traîne. Je ne sais pas par où commencer ma reconstruction. Je peux au moins faire une chose : perdre mes kilos superflus, pour rentrer de nouveau dans mes 501 ! Alors, je m'inscris dans un de ces clubs à l'année, ces clubs de remise en forme où l'on ne passe généralement que deux ou trois fois. D'ailleurs, moi-même, je n'y suis pas très assidu. Mais j'y vais, parfois.

Un beau jour, comme je suis en train de m'entraîner sur un des appareils, je jette un coup d'œil sur le type qui est à mes côtés. Il fait des efforts. Il souffre. Moi aussi. Brusquement il s'effondre ! De la bave sur les lèvres, les yeux révulsés, le corps agité de spasmes : il a une crise d'épilepsie ! Je bondis. Je hurle pour demander de l'aide. Je ramasse le corps qui se cabre dans tous les sens. J'essaie de le maîtriser. Je place ma serviette sous sa nuque. Je soulève ses jambes pour faire circuler le sang. Je ne sais pas ce que je fais, ni ce qu'il faut faire dans ce cas-là. Je n'ai aucune formation. Je sais seulement qu'il faut agir. Entre temps, les responsables du club ont appelé le SAMU.

Arrivée du SAMU. Piqûres. Masque à oxygène. Brancard. Le type est embarqué. Il est hospitalisé. Je le retrouverai, quelques temps plus tard, dans le club.

Il viendra vers moi pour me remercier de lui avoir sauvé la vie.

Je n'ai pourtant pas l'impression de mériter ces louanges, pas l'impression d'avoir été un héros. Mais cet événement m'a profondément ébranlé. Quand j'ai vu partir le type dans l'ambulance, j'ai eu comme un flash : j'ai réalisé que je pouvais être utile, que ma vie ne se réduisait pas à mon métier, qu'il y avait un monde en dehors du show-biz, de la scène et des boîtes. Un monde auquel j'appartenais, et dans lequel je pouvais avoir ma place.

Et cet événement secoue mon asthénie.

Du coup, je m'ébroue et je me décide. Je vends tout ce qui ne m'est pas indispensable : mes beaux costumes, mes chaussures hors de prix, mes manteaux, une partie de mon mobilier. Je brade tout.

De ma fenêtre, je regarde les sans-abri. Quand je me sens trop seul, je vais les rejoindre, pour parler. Je m'assieds avec eux sur un banc. Je rencontre un soir, alors que je me promène sur les Champs, un vieux « ruskof » septuagénaire, un ancien réfugié politique, oublié du monde. Il me parle, avec ses quelques mots de français, de sa famille qu'il n'a pas vue depuis cinquante ans. Je lui donne ce que j'ai sur moi. Et je m'endors avec lui sur le banc. J'en rencontre d'autres, encore. On refait le monde et, pour un instant, ça me requinque. Je me dis qu'il y a plus triste que moi. À mes yeux, ces SDF représentent une richesse insondable, cachée. Ils ont beau n'avoir plus aucun bien matériel, ils peuvent encore apporter infiniment.

Mais si je me reprends quelque peu en mains, j'ai conscience très clairement, dans ce néant que devient ma vie, que je ne suis plus maître de mon destin.

Côté professionnel, j'ai décroché. Je ne vois plus personne. D'ailleurs, pourquoi ferais-je des démarches ? Pour me faire mettre dehors ? Pour m'entendre dire, poliment ou non, que je n'intéresse pas, qu'on a autre chose à faire, qu'on ne peut pas me recevoir ou, quand on fait l'effort de m'écouter, me montrer, par une grimace de dégoût, qu'ici on ne fait pas dans le boys band ? Non merci !

Seulement, sans avenir dans la musique, je me retrouve comme avant, avant de monter à Paris. Dépourvu de toute formation, sans ressources. Et sans aucun désir, vraiment, de reprendre mon ancienne vie de garçon de café. Plus aucune prise.

Côté vie privée, ce n'est pas mieux. Je n'ai plus d'« amis », plus de proches, plus d'entourage. Personne pour me soutenir. Ma famille ? Mes potes de Cagnes ? J'ai trop honte pour leur demander quoi que ce soit. J'attends seulement les huissiers. Et là encore, je ne peux rien y faire. Rien empêcher.

Un soir, plongé dans ma solitude et imbibé comme il se doit, je m'essaie à un exercice que j'avais délaissé. J'essaie de prier ! Je le fais le cœur lourd, empli de honte, de culpabilité. Mais j'ose quand même. Dans la grande pièce vidée de ses meubles et qui résonne comme un hall de gare, dans cet appartement où je me sens comme un prisonnier, je n'espère plus aucun secours des hommes. Du fond de mon abîme, en perdition, je ne vois que Lui pour m'aider, ou au moins me comprendre

161

et me pardonner. Et j'ai l'impression d'être écouté. Contrairement à ce que beaucoup pourraient imaginer, ce n'est pas dû à l'alcool, ni à l'émotion, ni au crépuscule qui tombe et plonge irrémédiablement la pièce dans les ténèbres. C'est tout autre chose : le sentiment d'être entendu, la certitude qu'Il me donnera la force de m'en sortir. Non pas qu'Il fera un miracle, pour moi seul, qu'Il résoudra mes problèmes à ma place, mais la certitude qu'Il me donnera le courage de m'affronter. Et tout particulièrement de me libérer de ma culpabilité.

C'est un fait que la *culpabilité* m'est devenue une prison plus puissante, un cachot bien plus sombre que mon appartement vide. Je la sens qui m'enserre le cœur comme un étau, qui me tire vers le fond, les régions infernales, bien plus redoutables que le monde de paillettes dans lequel je m'étais égaré.

À cette époque, je ne le comprends pas véritablement. Je n'ai pas les mots pour l'expliquer. Je le pressens.

Les miens m'ont pardonné. Ma mère, mon père, ma famille, mes amis m'ont pardonné mes incartades, mon échec, mes négligences, mes oublis, mon mépris. Ils m'ont pardonné les sottises détestables que j'ai commises, les dettes que j'ai accumulées. Tout. Ils m'ont tout pardonné. Mais moi, je ne me pardonne pas. Je ne peux pas supporter d'être tombé aussi bas, d'avoir été aussi sot, dupe, naïf. La culpabilité me ronge. Et je m'y complais, pour me punir. C'est ce que je crois du moins. J'ignore que ce n'est qu'une forme très tordue de mon orgueil. J'ignore que je suis en train de nourrir un monstre qui va me bouffer les entrailles et menacer mon équilibre de façon bien plus terrible que tous mes égarements de « star ». Je ne veux pas dire que j'aurai dû tirer un trait sur mes absurdités, faire comme si rien ne s'était passé. Bien sûr que non. Mais il m'aurait fallu commencer, d'abord, et avant tout, par l'humilité.

Tout cela m'apparaît, l'espace d'un instant, entre chien et loup. Une espèce d'image qui s'efface très vite devant ce sentiment de culpabilité si puissant. Qui s'efface sans néanmoins disparaître complètement car, au fond de moi, une petite voix a été éveillée, qui ne demande qu'à grandir. Il ne lui manque qu'un terreau favorable.

Céline

Les huissiers ne sont pas encore passés. Je les attends toujours. Je n'ai pas payé mes dettes, bien sûr. Avec quoi ? Ma banque, si compréhensive quand j'étais chez GLEM, n'est plus du tout d'accord avec mon train de vie. Elle m'a mis en contentieux. Évidemment, je suis interdit bancaire ! Peu importe d'ailleurs la somme que je dois. Dans l'absolu, elle n'est pas énorme ; négligeable même, comparée à ce que d'autres accumulent comme dettes et impayés. Mais lorsque, comme moi, on n'a rien, une somme comme celle-là paraît immense. Un Himalaya impossible à surmonter. Une vie à trimer, des milliers de pare-brise lavés, des milliers de verres servis n'y suffiraient pas.

Donc, je suis chez moi, à me morfondre, à me demander comment tout cela va tourner, quand le téléphone sonne. C'est une amie de Cannes : Gaëlle. Elle vient à Paris. Elle voudrait me voir, me dire bon-

164

jour. Mon vieil univers se rappelle à moi ! Ça me fait du bien. Une bouffée d'air dans mon asphyxie.

J'accepte avec empressement. On fixe le lieu du rendez-vous. Ce sera chez un ancien pote bassiste. Avant de raccrocher, Gaëlle m'avertit qu'elle ne sera pas seule. Une amie d'enfance, Céline, l'accompagnera. C'est bizarre, je ne la connais pas. Pourtant, elle, elle se souvient de moi. De l'époque où je traînais à Cannes. Ça ne me dit toujours rien, mais ce n'est pas grave.

Je suis content de revoir Gaëlle. Pour le reste, Céline, je n'ai pas la tête à remettre en ordre mes souvenirs. On verra bien.

J'arrive en retard au rendez-vous. Tout le monde est là. Je suis sincèrement heureux de retrouver Gaëlle. Je l'embrasse. Elle s'écarte pour me présenter Céline. Le choc ! La femme la plus belle qu'il m'ait été donné de rencontrer ! Écrasé par mes problèmes, noyé dans ma culpabilité, je n'en montre rien. Mais sa vue me bouleverse et réveille quelque chose en moi. Quoi ? Je ne sais pas encore.

La conversation s'engage. Je l'observe. Je lui trouve du répondant, du caractère, en plus de sa beauté. Elle me plaît. D'autant que j'ai cru noter, au cours de ma courte existence, que généralement les caractères les plus forts cachent une véritable sensibilité. Oui, elle me plaît. Mais elle me bat froid. Elle ne semble pas me remarquer. Rien de bien méchant. Seulement je suis comme insignifiant à ses yeux. Et je me dis que ce n'est même pas la peine d'essayer.

Pour dîner, nous nous séparons. Chacun va de son côté, mais nous devons nous retrouver pour finir la nuit.

Quand Gaëlle m'appelle, c'est pour me dire qu'avec Céline, elles sont déjà au « V.I.P. », une boîte des Champs. Elles nous attendent. De façon un peu puérile (je le reconnais), j'interroge Gaëlle sur la réaction de Céline. Qu'est-ce qu'elle a pensé de moi ? Est-ce qu'elle a dit quelque chose ? Réponse encourageante : aucun nuage à l'horizon.

Champagne, musique à fond. Céline est sur la piste de danse. D'entrée, j'adore sa façon de bouger. Elle porte, ce soir-là, un pantalon noir, taille basse, à fines rayures blanches, un chemisier rose, négligé, sur un débardeur blanc, court, qui laisse apparaître son ventre satiné. Ses longs cheveux épais, ondulant, couleur de bois doré, ses immenses yeux verts en amande, son grand sourire et les deux fossettes qui creusent ses joues pleines : je ne peux pas laisser passer cet ange ! Dans les lumières et les lasers, j'oublie mes tracas, mes soucis, ma situation désespérée. Je me laisse aimanter, river à ce corps qui habite tout entier l'espace libre de la piste de danse.

Une voix m'avertit pourtant ; une main tente de me retenir : ce n'est pas le moment ! Je ne dois pas. Je ne peux pas mêler quelqu'un à ma vie qui part à vau-l'eau. Je n'ai pas le droit d'entraîner Céline dans ma déchéance. Parce que rien ne va s'arranger. Ce que j'attends, ce que je redoute, va finir par arriver. Et si Céline est à mes côtés, elle en souffrira. C'est sûr. Mais cette voix est noyée dans la musique ; et cette main est trop faible face au pouvoir d'attraction de Céline.

Alors je me lance. Je m'approche d'elle. Dans son dos. Délicatement mais fermement je lui enserre la taille. Elle se retourne, vivement. Mais se calme en me voyant. Elle sourit, m'enserre la taille à son tour et nous dansons, l'un contre l'autre, sans entendre la musique. Nous nous enlaçons. Nous nous embrassons. C'est formidable.

Très vite, trop vite, nous sommes inséparables. Je lui ai tout dit de ma vie, de mes ennuis. Elle ne veut pas s'y arrêter. Elle pense que je vaux plus que cet amas de problèmes. Mais, moi, je ne peux pas me montrer si léger, si confiant. La présence de Céline ne m'a pas lavé de ma culpabilité. Bien au contraire. Elle lui a donné une nouvelle profondeur.

Céline autour de moi, Céline dans ma vie ! – mais ma vie sans espoir… Quel contraste ! Quel insupportable contraste, devrais-je dire. Céline si vivante, si pleine d'allant et d'ardeur, et moi, désœuvré, errant sans but. Moi, aride comme une terre vaine, une terre que tout le monde a désertée, à laquelle tout le monde a tourné le dos. Et non seulement on m'a tourné le dos, mais par ma faute, à cause de mes bêtises, de ma véhémence, de mon amertume, on refuse de me recevoir, de me parler. Tous. Tous ceux que je connaissais, surtout ceux qui auraient pu faire quelque chose pour moi, pour relancer ma carrière, à commencer par Louvin et Moyne, avec lesquels je suis sottement entré en conflit.

Alors, quand mes heures ne sont pas illuminées par la présence de Céline, je broie du noir. Je me regarde et je plonge dans ma culpabilité. Je continue à m'imbiber dès que je me retrouve seul. La bouteille me tient lieu de tout ce qui remplissait mon existence jusque-là : répétitions, enregistrements studio, galas, interviews, déjeuners ou dîners. Elle remplace tout. Sauf Céline. Je me partage entre elle et Céline.

Au bout de trois mois, je n'y tiens plus. Céline va de l'avant. Une brillante carrière s'ouvre à elle. Moi, je m'enfonce, tous les jours un peu plus. Je décide de m'effacer.

Elle disait qu'à deux, nous serions plus forts, que nous pourrions affronter n'importe quelle épreuve. Je le croyais. Mais tel que je suis, je dois m'incliner. L'épreuve a eu raison de nous, de moi, plus précisément.

Je tiens quinze jours sans Céline. Pas plus. Au bout de quinze jours, je craque.

La nuit bat son plein. Une boîte des Champs fête son ouverture. Comme elle appartient au groupe, j'ai pu profiter de mon ancienne notoriété pour me glisser parmi les invités. J'ai bu, mais l'alcool n'y fait rien, je me sens mal dans ma peau. Céline me manque. Finalement, je demande à un pote de l'appeler. Qu'elle vienne nous rejoindre. Elle accepte. Mauvaise idée ! Elle n'est pas encore arrivée que mon malaise devient intolérable. J'éprouve une honte indicible. Quelque chose, en moi, est heureux à l'idée de la retrouver ; mais la glace me renvoie mon reflet : affreux ! Bouffi d'alcool. Quinze kilos de trop ! Les yeux injectés. Quand elle se présente devant moi, je ne suis pas capable de parler. J'aboie. Elle fond en larmes. Je m'en vais précipitamment. Je me dégoûte. Je ne me supporte plus.

Le temps passe. Il s'écoule, gluant comme une flaque d'huile. Je n'ai pas revu Céline depuis cette désastreuse tentative, et je suis chez moi, désœuvré. Tout à coup, la sonnerie de l'entrée retentit. J'ai un haut-le-cœur. Ça fait un bail que plus personne ne me rend visite. Ce ne peut être qu'« eux ». Eux ! Ceux que je redoute depuis des mois : les huissiers !

J'hésite à aller ouvrir, mais je ne peux pas y couper. Alors, je m'approche de la porte et, par un accès d'orgueil, je demande, d'une voix presque insolente :

« Qu'est-ce que c'est ?

— C'est moi. C'est Céline ! »

Je ne sais pas la tête que je fais, personne n'est là pour me le raconter, mais je sais que je suis à deux doigts de pleurer.

Céline est venue m'apporter son aide.

Il fait gris. Je dois avoir l'air d'un déterré. Elle m'entraîne dans un resto du coin, pour me parler. Elle a un ton impératif qu'à une autre époque j'aurais violemment rejeté. Mais je suis trop « largué » pour lui résister. Ironie amère, comme lors de mon casting, je ne suis pas, je ne suis plus… je ne suis plus en mesure de refuser une main tendue. Or, elle se propose de faire pour moi ce que personne, hors mes parents, n'aurait fait.

En premier lieu, elle me fait part de son amour. Puis…

Elle m'explique que son père a accepté de prendre ma situation en main. Il a vu combien elle souffrait de notre séparation. Il l'a poussée à en donner les raisons. Et quand il a compris de quoi il retournait, il a accepté. Sans porter de jugement. Sans émettre de critiques. Sans émettre de réserve. Pour sa fille !

Pour sa fille, et donc pour moi. Et à vrai dire, je n'ai pas le choix. Céline me le fait bien comprendre.

Le soir, je retrouve Jean, le père de Céline dans un café huppé, du côté de l'Étoile. Il y prend un pot avec un groupe de gens importants : des avocats, des juristes, des politiciens. Il me présente toute cette armée comme si elle était à ma disposition. Je comprends alors, dans les regards chaleureux qui m'entourent, qu'il a pris le bon soin de les informer de ma situation et de ma venue ce soir. Pour la seconde fois de ma vie, je me sens minuscule. Je n'ai rien à dire, sinon merci. Mais même « merci », je ne peux pas le formuler, tellement tout cela me paraît hors de proportion, tellement cela me dépasse.

En moins d'une semaine, Jean m'ouvre toutes les portes. Première exigence : déménager. Je n'ai pas payé mon loyer depuis des lustres. Je dois partir. Il me trouve une entreprise de déménagement.

Je me laisse conduire. Devant tant de gentillesse et de dévouement, j'ai décidé de ravaler ma fierté. Ça ne s'est pas fait du jour au lendemain. J'ai hésité. Comment pourrais-je m'acquitter de tous ces services qu'on me rend ? Mais j'ai cédé devant la nécessité. Je n'ai vraiment pas les moyens de refuser une aide.

Donc, je déménage.

Contre mes fantômes

Je m'installe avec Céline, chez elle, rue de l'Ouest. Plus précisément, chez son père, Jean, qui a pris mes affaires en main comme promis.

Et c'est la totale : avocats, fiscalistes ; tout le bastringue. Tous mes dossiers pendants y passent. Un à un. Mais d'abord, les huissiers et le loyer impayé de mon dernier appart.

De mon côté, je me lance dans la bagarre. Je me fais tout expliquer. Les dédales juridiques, les démarches, les risques. Je veux comprendre. Comprendre, par le détail, dans quoi je me suis fourré. Même si, peut-être, je gêne, moi qui ne connais rien au droit, je suis présent à tous les rendez-vous. Je n'en manque pas un. Je ne peux pas laisser les autres travailler pour moi sans rien faire ! Et puis, je veux être là. Regarder mes créanciers en face, les affronter, m'excuser aussi, pour ma légèreté.

Tous ces efforts m'auront appris au moins une chose. C'est que, qui que l'on soit, riche ou pauvre, croyant ou non, Noir ou Blanc, P-DG ou simple salarié, il y a une chose qu'il faut faire, à tout prix, par tous les moyens (légaux, s'entend) : il faut impérativement payer ses impôts ! Parce que les impôts, c'est comme les conneries, on finit toujours par les payer.

Grâce à cette activité, à cette occupation de tous les jours, je me sens mieux. J'ai l'impression de dégonfler. C'est que j'ai quelque chose à faire maintenant, un combat à mener pour mon redressement.

Ma mère, de son côté, est partagée entre la joie et la tristesse. Elle est heureuse de savoir que j'essaie de me reprendre en main. Elle est triste pourtant. Elle se trouve au chômage et elle ne peut rien faire pour m'aider. Alors, elle va prier pour moi, dans la petite chapelle de Sainte-Rita, au cœur du vieux Nice. Prier lui fait du bien. Mais elle ne m'en parle pas. Malgré mon expérience crépusculaire, je ne suis toujours pas en état de songer à la prière.

Pire, même, je sens que ma mère souffre de sa situation et de la mienne. Souvent, au téléphone, nous pleurons ensemble. Et j'en veux à Dieu de l'abandonner. Elle qui n'a rien fait. Elle qui a toujours placé sa confiance en Lui. Comment peut-Il la laisser dans la souffrance et la douleur ? Je décide alors de me charger moi-même de ma mère puisque Dieu ne s'en occupe pas. Et je me dresse contre Lui. Je Le défie. Il n'est rien, celui qui ne fait rien pour les siens !

Voilà ! Il suffit que cela aille un peu mieux pour que mon orgueil trouve une nouvelle forme pour s'exprimer.

Oubliée un temps, la culpabilité qui me poussait à me considérer comme un moins que rien, à m'accuser de toutes les fautes, à me réduire en miettes. Je me redresse. Un peu. Un tout petit peu. Et je crois que je peux tout affronter, même Dieu. Que je peux Lui demander des comptes !

D'un autre côté, malgré ma belle nouvelle assurance, les choses ne se passent pas aussi bien que je veux le croire. Le combat procédurier me bouffe la vie. Son âpreté m'assèche l'âme. Mais surtout, il me prend tout mon temps. Je ne m'occupe plus du tout de musique. Quand les démarches fiscales ou autres m'en laissent l'occasion, je me borne à chercher du travail. N'importe quoi qui me permettrait de regarder Céline et son père en face. Un travail où personne ne me reconnaîtrait.

Pour ce faire, je contacte Alain. Je l'ai connu dans ma période de gloire. Il était notre ingénieur du son, à l'époque du Casino de Paris. Je lui explique ma situation. Je lui demande s'il n'a pas de taf pour moi. Par chance, il peut m'aider. Et je me retrouve, grâce à lui, *road* sur quelques concerts à Bercy et au Zénith.

Road, ça consiste à se pointer à six heures du matin sur le lieu du concert, à vider des semi-remorques qui viennent du bout du monde, à ouvrir des centaines de *flight cases* à roulettes, au volume impressionnant, et à monter la scène pour la star qui va jouer le soir. Puis, après le concert, il faut tout démonter, avec les lumières, les écrans géants, dans la nuit, la nuit même, tout remettre dans les caisses, et charger tous les « semis ». Ça vous fait terminer à cinq heures du matin. Le tout pour cent euros !

Un jour, mes engagements me conduisent sur le concert d'André Rieu. C'est Louvin qui produit. Il est là, pour superviser la mise en place. Je me cache. Je rabaisse la visière de ma casquette. Mais Alain m'apprendra, plus tard, que Louvin m'a quand même reconnu. Il m'a vu trimarder, démonter la scène, trimballer les planches. Et, toujours d'après Alain, il semble qu'il ait eu mal pour moi, qu'en me voyant, là, il ait réalisé à quel point j'étais en difficulté, et que, s'il n'était pas venu me voir, c'était certainement à cause de la gêne. Il paraît même, qu'outré, il avait eu dans l'intention de m'aider. Pu… ! Pourquoi ne l'a-t-il pas fait ?

Quoi qu'il en soit de Louvin et de ses retours de sentiments, *road*, ça ne nourrit pas son homme. Il me faut trouver autre chose. J'atterris dans une société de déménagement.

Je ne sais pas à quoi c'est dû, si c'est le fait qu'en tant que *road* j'étais encore lié à la scène, au spectacle, à la musique, tandis que là, déménageur… Mais, sur le trottoir, à six heures du matin, dans la nuit froide, en attendant mes nouveaux collègues, je prends soudain conscience à quel point il est dur de gagner sa vie. De gagner simplement de quoi manger. J'avais oublié. Quelques mois au sommet d'un concept marketing, et je suis devenu amnésique. La réalité me frappe en plein visage. Je resserre le col de mon blouson pour me protéger du vent traître. Ce que j'ai pu être naïf ! Comment ai-je pu croire à toutes ces paillettes ? Comment ?

Trois gros types baraqués se pointent. Ils m'embarquent à bord d'un semi plein jusqu'à la gueule, qu'il faut déballer dans le 13ᵉ.

Sur place, on commence à retirer les couvertures, à monter les meubles. J'essaie d'être à la hauteur. Mais à dix heures, crise d'angoisse incontrôlable. Je ne peux pas ! Rien à faire. Je plante tout le monde. Je saute dans un taxi. Je rentre rue de l'Ouest. En chemin, je manque de m'évanouir. J'ai des difficultés respiratoires, la tremblote : spasmophilie ? Je me sens devenir fou. Mais, bien plus grave, la culpabilité me revient. Je suis incapable d'assurer ! Indigne de Céline ! Indigne de son père !

C'est la honte !

Mais je m'inquiète aussi. Que m'arrive-t-il ? Physiquement, je veux dire. Moi qui ai toujours assuré. Un roc. D'où viennent-elles, ces défaillances ? Qu'est-ce qu'elles annoncent ? Je consulte un médecin. Plusieurs médecins. Leurs diagnostics ne sont pas clairs. En gros, je crois comprendre qu'il s'agit d'un effondrement nerveux dû au stress, à l'abus d'alcool, au manque d'activité. Rien de tragique, mais je me médicalise. Il ne manquait plus que ça ! Sans compter que les médicaments, s'ils m'assomment, ne changent pas grand-chose à mon état.

Plus ou moins au même moment, Jean, le père de Céline, rencontre, lui aussi, des soucis de santé. Mais autrement plus graves. Opération obligatoire. Risquée.

Céline est déboussolée. Je devrais faire quelque chose pour l'aider. Mais je suis trop faible. Incapable de cela aussi !

Jean est opéré. C'est un succès. Il renaît à la vie. Pour moi, c'est une leçon. Je m'aperçois combien mes propres problèmes sont dérisoires, sans vraie valeur. Mon estime pour lui grandit.

À cette époque, Greg ressurgit dans ma vie. Il ne pouvait plus supporter Biarritz. Alors, il est monté à Paris. Dans mon sillage. En quête de boulot mais tout heureux de me retrouver. Sa présence me fait du bien. Je passe, en sa compagnie, des soirées souvenirs. C'est ce moment qu'un autre ancien pote, Cécé, un des frères Imbert, choisit pour passer me rendre visite. Quelques jours à Paris. Pas plus. Il faut fêter ça. Et on le fête. D'enfer. Seulement, entre les crises et les médocs, ma cuite tourne au drame. Palpitations, coma éthylique, je passe les détails.

La tête encore toute pleine de l'opération de Jean, tous ces symptômes morbides m'affolent littéralement. J'ai l'impression que je vais passer l'arme à gauche, que j'agonise.

Au matin, quand je me réveille, le sentiment d'affolement ne s'est pas estompé. Alors je décide : c'est fini. Radicalement fini. Je ne toucherai plus une goutte d'alcool. J'ai eu trop peur.

Et puis, l'alcool est trop nul. Vraiment trop nul. Quel intérêt y a-t-il vraiment à boire ainsi jusqu'à se rendre malade, jusqu'à perdre ses repères, à devenir une épave titubante dont tout le monde s'écarte avec dégoût et qui ne trouve son repos que dans le néant d'un effondrement sans rêve ?

J'arrête définitivement l'alcool, et je déménage de nouveau. Oui. Une fois de plus. Et devinez où je me retrouve ? À Neuilly. Mais cette fois, ce n'est pas le grand standing. C'est un petit studio que je partage avec Céline. Les petits espaces vous rapprochent, mais ils vous collent aussi l'un sur l'autre. Et le nez à nez avec moi et mes problèmes, mes faiblesses, ma désorientation, fait son œuvre. Je vois dans les yeux de Céline, dans ses expressions, ses gestes, qu'elle sature. Son amour pour moi, qui a fourni tellement de preuves, faiblit sous les assauts de la réalité.

Céline est probablement la femme la plus intelligente et la plus intuitive que j'ai connue. Et son amour a encore rendu son intuition plus aiguë, si cela est possible. Elle me connaît mieux qu'aucun autre. Pourtant, même elle ne mesure pas vraiment ce par quoi le métier me fait passer. Ce que j'ai dû endurer, dois endurer, et devrai encore endurer. Combien, malgré tous mes efforts, l'image de boys band me colle à la peau.

Dans ce métier, on ne pardonne rien. Si l'on veut s'y maintenir, il faut sans cesse se surpasser et se justifier, prouver aux autres que l'on a du talent et leur montrer qu'on a de bonnes raisons de faire ce que l'on fait. On dirait, comme cela, que c'est une exigence de pur, de dur. Mais c'est en fait plein d'hypocrisie. Parce que la seule réponse satisfaisante, c'est le succès. Et là, tout le monde s'écrase. Que vous ayez fait partie d'un boys band ou pas, on n'y regarde plus. Ça marche ? Donc, vous vous surpassez, vous vous justifiez, vous montrez que vous avez du talent, et que vous êtes fait pour ce métier. Point barre. Là où ça tourne au vinaigre, c'est quand ça ne marche plus. Alors, on vous cherche des poux. Et l'étiquette boys band, c'est *le* signe infamant. Une lettre écarlate que vous portez gravée sur votre front : « Prostitué » !

Je fais une maquette avec des gens merveilleux. On la présente à une maison de disques. C'est super. On est même surpris par la voix du soliste. « Au fait, qui c'est le chanteur ? » ; « Lui ! Il a fait partie d'un boys band ! » Fini. Pas la peine d'insister.

Je n'avais pourtant rien fait de mal. J'avais simplement débuté dans le métier avec un concept marketing. Pas de quoi pousser les hauts cris. D'autant que tout le monde en passe par là. C'est simplement une question de degré, d'honnêteté aussi, de franchise… ou d'hypocrisie encore. Un artiste qui refuse le système, c'est artiste, idéal, mais inexistant : un artiste en chambre. Même mon père, qui est un de ceux qui se sont le moins éloignés de leurs bases, a dû accepter le système pour continuer à tourner. Et il en a conscience. Il le sait. D'ailleurs, lui, *lui*, ne m'a jamais reproché mon parcours au non d'un pseudo-idéal de pureté.

Il est vrai, aussi, que cette question de degré a de l'importance, lorsque, comme moi, on n'a pas le boys band dans le sang et que l'on voudrait faire autre chose. Mais, dans ce milieu où règne la duplicité, cette question de degré disparaît comme par enchantement quand le succès vous abandonne. Alors on vous fait comprendre – on prétend, du moins – qu'il y a deux mondes séparés : celui de ceux qui font de la musique et celui de ceux qui font de l'argent. Vous venez du monde qui fait de l'argent ? Vous n'êtes pas le bienvenu chez nous, qui faisons de la musique ! Incroyable ! Mais trop réel.

Comme si tout cela ne suffisait pas, mes problèmes de santé s'accentuent. Les séquelles de trois années de folie n'ont pas attendu longtemps pour se manifester. Des problèmes physiques et psychologiques, des ulcères, des malaises, des crises de spasmophilie dans la rue, des crises d'agoraphobie dans le métro, des vertiges dans les lieux publics, et j'en passe. Les prescriptions médicales se multiplient. J'ai des pilules pour tout. Je finis par jeter toutes les pilules.

Mais je me détraque, au moral comme au physique. Je pars en miettes. Je n'ai plus besoin de me ronger les sangs, de broyer du noir, de me complaire dans ma culpabilité, je n'ai qu'à attendre la nouvelle crise.

Céline s'éloigne. Ma faiblesse, mon incapacité à me sortir de l'ornière l'éloignent. Je n'arrive pas à rebondir. Je n'arrive pas à travailler. Ni dans les petits boulots ni dans la musique. Je suis même atteint de paranoïa. J'ai l'impression que tout le monde me reconnaît et me juge. Je vis l'envers, l'enfer de la célébrité. Je me fais peut-être des idées ? Je me fais certainement des idées. Mais cela prouve que je ne suis pas encore guéri, que je suis toujours hanté par trois années démentes, hanté par un désir morbide mêlé de remords. Pas étonnant que j'aie toutes ces crises.

Je ne peux plus rester ici. De nouveau, la tentation de partir s'impose. Partir, mais cette fois, loin. Je ne veux pas simplement changer de rue, de quartier, d'appartement, je veux changer de ville, changer de pays. J'ai l'impression d'être en prison en France, d'être surveillé de tous les côtés, par le fisc, par les huissiers, par les créanciers, par les gens dans la rue, qui me reconnaissent. D'être surveillé par les gens et d'être rejeté par le métier.

Le métier ! Mon vieux rêve ! Mon aspiration d'enfance que j'ai pressurée jusqu'à épuisement en trois petites, toutes petites années !

Je puise alors au fond de moi les dernières ressources que je trouve. Je prends une grande inspiration. Et je fais mes valises. Je pars... pour l'Angleterre : Londres.

Terre, enfin !

Londres.

Bobby Simister m'y attend.

Bobby, c'est le fils de Bob. Et Bob, c'est un guitariste et un très vieux pote de mon père. Leur amitié s'est scellée à vingt ans, autour de *riffles* de rock. Ensemble, ils ont même fondé les Citizen's. Leur attachement ne s'est jamais démenti. Ils sont restés fidèles à leur jeunesse, pendant plus d'un quart de siècle !

Bobby a presque mon âge. On se connaît depuis tout petit : lui aussi est dans le métier, la musique. Mais il opère derrière les consoles : ingénieur du son, pour des *Majors*.

Bobby m'accueille à bras ouverts, et j'en ai besoin. Londres est une ville immense. Elle m'intimide. Pas comme Paris. Je m'y sens perdu, comme écrasé, je ne sais trop pourquoi. Heureusement, grâce à l'aide bienveillante de Bobby, je trouve assez rapidement une chambre et un travail. Je crèche au fin fond de Londres, à la limite de la banlieue. Il me faut trois quarts d'heure tous les jours pour rallier le centre et mon boulot. Je suis barman au Bellini's, un resto branché italien, planqué dans une impasse de Kensington Court Road. Quand j'en ai le temps, je me balade. J'ai repéré un trajet qui me fait passer par des endroits que j'aime, Hyde Park, Soho, pour finir par Covent Garden, où je déambule au milieu des théâtres et des boutiques de jeunes créateurs.

Mais Céline me manque horriblement. Elle s'est résignée à mon départ. Sans joie. Elle est plus lucide que moi. Elle sait à quoi tout cela conduira.

Moi, je vivote. Enfin, je fais semblant.

J'essaie bien, par l'entremise de Bobby, de dégoter quelque chose dans le milieu anglais. Mais rien n'aboutit. À Paris, j'étais connu. On ne voulait pas de moi, certes, mais j'y avais un passé. À Londres, je ne suis rien ! Pas même un has been. Allez-donc leur parler de variété française ! Il n'y a pas si longtemps pourtant, toutes les portes des studios londoniens m'étaient ouvertes. Enfin, elles étaient ouvertes à GLEM et à son groupe du moment, Alliage. Je me souviens encore de notre dernier séjour dans la capitale anglaise. Nous passions des hôtels quatre étoiles, où nous logions, aux bureaux diréctoriaux du dernier étage comme dans un rêve ; limousines pour nous conduire, tapis rouges pour nous recevoir, champagne et petits-fours avec les manitous. Mais à présent, je ne suis plus qu'un quidam comme il y en a des milliers, perdu dans le labyrinthe des sous-sols.

Tiens, un jour je me rends dans la maison de disques des Boyzone, Polydor Londres. Je n'y vais pas pour demander de l'aide. Je veux simplement retrouver la trace de Ronan Keating. Au temps d'Alliage et de notre *single* en commun, nous avions fraternisé tous deux. Je sais qu'il sera heureux de me revoir.

Je me présente à l'accueil. J'ai le *single* sous le bras, par sécurité. J'explique au planton ce que je désire, pochette à l'appui. « Regardez. Là c'est Ronan. Là c'est moi. Nous avons fait un disque ensemble. Je voudrais avoir ses coordonnées. » Le planton voit. Le planton comprend. Mais il n'est pas le moins du monde troublé. Il me dit d'attendre et s'absente. À son retour, il est désolé mais ce n'est pas possible. Au revoir.

Personne n'est descendu pour me rencontrer, me dire bonjour, me demander comment j'allais, juste comme ça, en souvenir d'un très proche passé. Non. Je n'ai pas dépassé l'accueil. J'ai même été refoulé. Renvoyé. À la rue !

Alors le reste, vous pensez ! Un mur. À Londres, j'ai l'impression de me cogner la tête contre un mur. Sans doute, aussi, n'y mets-je pas suffisamment de volonté. C'est que mon esprit est ailleurs.

Dès que je le peux, je fais des sauts à Paris. Pour retrouver Céline. Mais surtout, je n'ai pas atteint l'humilité. Continuent de me ronger la colère et la rancune. De me ronger et de m'enchaîner à mon passé, de me tirer en arrière, d'exciter ma vanité et mon orgueil.

Un an et demi que ça dure ainsi. Un an et demi d'allers et retours, Paris-Londres, Londres-Paris, un an et demi de travail comme serveur, de prises de contact sans lendemain, un an et demi à traîner ma misère entre Kensington, Notting Hill, la Tamise, la banlieue – et je craque. La France me manque. C'est curieux. Je ne suis pas du genre patriote. Pas non plus à cracher sur le drapeau. Mais mon père est anglais, ma mère italienne, et je me sens déraciné partout. Eh bien ! malgré tout ça, j'ai le mal du pays ! Je ne me sens pas chez moi à Londres. Un touriste. Et un an et demi à faire le touriste, ça fatigue. J'ai besoin de rentrer à la maison. Et je rentre à Paris.

Paris me fait du bien. Petit à petit, je retrouve mes repères et, avec eux je reprends goût à l'existence. Je ne cherche pas de petit boulot. Je n'ai plus besoin de me prouver à moi-même que je peux faire quelque chose, plus besoin de me punir. Londres, c'est fini.

J'ai toujours voulu faire de la scène, mais simplement, sans ambitions particulières. Pourquoi ne pas tout reprendre à zéro à partir de là ? En plus, j'ai appris pas mal de chose là-dessus durant ma courte période de travail et de gloire. Des choses du métier, pas simplement des trucs marketing. J'ai travaillé ma voix, qui est mon atout. Je l'ai améliorée. Je connais les techniques d'enregistrement. Je sais par où il faut commencer. Comment un disque se construit : l'importance des musiciens, du son, de la couleur d'un album, des arrangements. Le mixage. Le rôle de l'ingénieur du son, etc. Bref, j'ai acquis une expérience dont je peux très honnêtement tirer profit. Trois ans à trimer, même si c'était dans un boys band, je sais à quoi ressemble un *single*. C'est sur ça que je dois me baser si je veux rebondir. Pas sur mon ressentiment. Pas sur ma culpabilité. Faire usage de mon expérience sans chercher à en imposer. Retrouver l'état d'esprit de mes débuts.

Les vapeurs de Londres se dissipent. J'ai renoué avec Céline, Neuilly, le studio.

Ce jour-là, justement, je m'y trouve.

Céline est absente, partie tôt pour son travail. C'est la fin de la matinée, et je tourne en rond sans savoir que faire. Je n'ai plus personne à voir. Mon absence – mon combat contre les créanciers, mon séjour à Londres –, même si elle a été de courte durée, a été fatale à mes relations. Plus aucun de mes anciens numéros ne répond. Les choses changent vite dans ce milieu. Et quand vous n'êtes plus dans le coup, des petits détails comme ceux-là vous bloquent dès que vous essayez de refaire surface. C'est un contre temps qui m'irrite. Mais que faire ?

Comme je n'ai rien de spécial, je feuillette un vieux répertoire. Et là, par hasard, je tombe sur le numéro de portable de Charly Nestor. Il s'était amusé, dans le temps, à parodier Alliage. Alliage et d'autres d'ailleurs, mais nous étions devenus amis. C'était l'époque du Casino de Paris. Je joue un temps avec mes souvenirs, puis je me décide. Je vais essayer de le contacter. À vrai dire, je n'ai pas l'espoir qu'il me réponde. J'ai pris l'habitude d'être éjecté. Je n'imagine plus que cela puisse se passer autrement. Mais sait-on jamais ? Pourtant, confirmation de mes appréhensions, je tombe sur une boîte vocale. Comme souvent. Et comme chaque fois, je laisse un message, sachant très bien qu'il n'aura pas de suite. J'ai fait ce que je devais faire. Je reprends mon inactivité.

Vingt minutes plus tard, mon portable sonne. Je me dis que c'est ma mère ou mon père. Je réponds. « Steven ! » : je reconnais la voix de Charly et je n'en reviens pas. Le seul ! De tous ceux que je connais, le seul qui réponde ! J'ai tellement pris le pli de me heurter au néant que je n'y crois pas. Mais c'est bien réel. Il est content de m'entendre, de savoir que je suis à Paris. Il me donne même rendez-vous dans un resto, à Neuilly.

Je le retrouve, un peu gêné, je l'avoue, par ce qui m'est arrivé depuis la fin d'Alliage, par ma déchéance, mes problèmes d'argents, mes échecs. Mais enfin, si je l'ai contacté, ce n'est pas pour jouer les saintes-nitouches ou pour parler de la pluie et du beau temps. D'autant que Charly est le seul, absolument le seul qui accepte de me voir. Alors je lui déballe tout : ma vie, mes projets et mes espoirs. À la fin du repas, il me scie. Non seulement il ne me méprise pas, mais il me trouve courageux. Et non seulement mon histoire le touche mais il accepte de m'aider ! Singulièrement, il a toujours cru en moi. Il a toujours pensé que je ferais autre chose. Cela me sidère et me fait plaisir. Je me dis que je n'ai pas totalement dérapé durant ces trois années, que j'ai quand même montré quelque chose pour qu'un type comme Charly ait pu croire en moi. Pour couronner le tout, l'aide que Charly me propose n'est pas seulement morale, elle est concrète.

Je n'ai que quelques jours à attendre. Charly comme promis me présente des producteurs, des compositeurs, bref, tout ce qu'il faut. Dans le lot, le feeling passe avec les frères Khalifa. Nous nous apercevons que nous avons les mêmes bases, la même culture musicale et que nous partageons, aussi, les mêmes idées sur mon come-back. Tout se met en place.

Je ne sais pas quoi dire à Charly pour le remercier. Comment lui exprimer ma gratitude ?

Mais, comme il est de coutume dans ce milieu, contacts et accords verbaux ne signifient pas travail immédiat. Avec les frères Khalifa, nous sommes d'accord sur le principe, seulement il faut attendre encore avant de commencer.

Alors, j'attends. Comme je n'ai pas de travail et aucune ressource, et suivant le conseil des avocats de Jean, je vais m'inscrire au RMI. Ce n'est pas une démarche facile pour moi. En la faisant, je balaye les dernières illusions dont je me berçais. Fini. En rentrant dans le système : RMI, chômage, aide sociale, je ne peux plus me prendre pour une star déchue, j'intègre les rangs, la cohorte des miséreux. Officiel. Et c'est dur aussi parce que je suis jeune encore, plein d'énergie – potentielle du moins –, plein de problèmes, aussi, à résoudre. Je ne me sens pas d'aller déballer tout ça, justifier ma détresse devant une assistante sociale que je ne connais ni d'Ève ni d'Adam. Mais c'est le premier pas dans l'humilité. Alors, je ravale ma morgue, je serre les dents et j'y vais.

Maintenant, j'ai de quoi manger. Mais juste. Tout juste. Pas de quoi faire des folies. Alors je m'enferme chez moi et j'utilise tout ce temps qui m'est donné à préparer l'album, en attendant les frères Khalifa. Pendant trois mois, je vis ainsi, en reclus. Je conçois, j'écris ce qui va devenir *In Terra* et je vois de moins en moins Céline.

Trois mois et, enfin, les frères Khalifa sont libres. Je me mets au turbin avec eux. De nouveau, je m'enferme. Mais ça vaut le coup. L'album prend tournure. On concocte une maquette. Charly, qui a été mis au courant, passe nous voir pour donner son avis. C'est un travail acharné, mais j'y crois. On écoute, on réécoute. On change. On modifie. On améliore. Quatre mois non-stop. Au bout de quatre mois, on a notre maquette. On se donne le temps de souffler un peu.

La rédemption

Tout ce travail m'a encore un peu plus éloigné de Céline. Finalement notre relation se rompt, définitivement, durant l'été.

Dès mon retour de Londres, dès mes premiers pas dans le studio de Neuilly, j'ai compris que nous ne pourrions pas continuer bien longtemps ensemble : ma situation ne le permettait pas. Ça m'a été pénible de le reconnaître. D'autant que j'ai une immense affection pour Céline et qu'aucun de nous n'a la force de quitter l'autre, de rompre. Mais les mois passant, notre relation s'est effilochée. Elle s'est distendue au point que la rupture était devenue inévitable.

Nous sommes descendus ensemble dans le Sud. Ultime tentative pour recoller les morceaux. Ultime échec. Elle est remontée seule. Je suis resté.

Je suis triste. Infiniment triste. Je peux dire que je n'ai rien à reprocher à Céline. Non seulement je n'ai rien à lui reprocher mais j'ai surtout à lui dire merci pour tout. À lui dire que quoi qu'il puisse m'arriver, dans l'avenir, je suis certain d'une chose : ce sera dur, infiniment difficile pour moi de trouver quelqu'un qui la vaille. Si dur que je doute de jamais rencontrer cette personne. Mais le temps, l'adversité, le manque d'humilité en mon cœur ont ruiné notre amour. Nous ne pouvons plus poursuivre une route commune. J'espère simplement que Céline rencontrera l'homme qu'elle mérite. Celui qui saura la rendre heureuse.

Je l'espère. En réalité, et très pratiquement, je prie pour cela. Je demande à Dieu d'être bienveillant pour elle, de lui rendre au centuple ce qu'elle m'a donné, de lui rendre pour moi, et au centuple, ce que je lui dois et ne pourrai jamais lui rendre.

Je prie, parce que j'ai renoué avec Dieu. Je n'ai pas encore trouvé la paix intérieure, l'humilité qui m'est exigée, mais je ne suis plus dans l'affrontement ou dans l'oubli du renoncement. À Londres, en effet, j'ai pris l'habitude, à mes moments d'angoisse, d'aller me réfugier dans l'église Saint-Pierre, au bout de High Street Kensington. Au début, j'y allais parce que j'y étais tranquille, parce que je pouvais y pleurer tranquillement. Puis, peu à peu, j'ai retrouvé le dialogue. J'ai recommencé d'implorer le pardon pour mes fautes. Mais je l'ai fait différemment. Pour la première fois. Sans me vautrer dans la culpabilité, sans me dresser sur mes ergots. J'étais trop au bout du rouleau pour cela, trop loin, dans cette ville étrangère, pour me la jouer. Je demandais pardon parce que je n'avais plus rien d'autre. De Londres, d'ailleurs, par téléphone, j'en ai parlé à ma mère. En retour, elle m'a avoué ses visites à l'église Sainte-Rita. C'est sans doute ses prières qui m'ont conduit à franchir de nouveau le seuil d'une église, qui m'ont donné de la force. Oui, demander pardon, me recueillir, prier. Mes rares moments de bien-être, à Londres, dans cette église Saint-Pierre. Le pardon !

C'est aussi pour cette raison que je dois rompre avec Céline. Je dois la libérer de mon poids, la délivrer de ma présence. Depuis mon retour, je vois plus clair dans ma vie, disais-je. Je voulais dire que je sens, maintenant, qu'un long travail sur moi-même m'attend. Un travail, un combat que je dois mener seul, parce que je le livre contre moi. Un combat pour accéder à l'humilité, unique moyen de me débarrasser du passé, de ses tentations aussi bien que de ses remords. Je ne sais pas comment je m'y prendrai. Ni si j'y parviendrai. J'imagine que, sans le secours divin, sans la grâce de Dieu, je risque bien d'échouer. Mais je sais que cette grâce, si elle m'est donnée, ne le sera que si je me dispose à l'accueillir.

Céline partie, les maquettes achevées, je n'ai pas grand-chose à faire à Paris. Alors, je décide de rester à Cagnes-sur-Mer, pour passer quelques temps auprès de ma mère que j'ai trop négligée. Pour revoir mes vieux potes aussi… sans risque d'avoir envie de fuir. J'ai bu toute ma honte, jusqu'à la lie.

Il fait beau, sur la côte, il fait bon. Il flotte des odeurs sucrées que j'avais oubliées. Une légère brise marine agite l'air par petits à-coups. La lumière de cette fin d'été est d'une clarté tamisée qui invite au repos, au far-niente ; cette façon de ne rien faire qui m'irritait autre-fois et que j'envie aujourd'hui.

J'ai retrouvé mes souvenirs. Il me semble qu'ils appartiennent à quelqu'un d'autre. Pourtant, je sais que ce sont les miens. Je me laisse attendrir. Mais en même temps, je ne fais plus un avec eux. Quelque chose, dans ma vie, s'est déchiré. Il existe une discontinuité que je ne cherche pas à combler. Je revois mes vieux potes, comme prévu. Avec eux, pas de problème. Ils m'ont connu avant ma chute, je veux dire avant ma célébrité, qui fut le début de mon effondrement. Mais, dans le fond de mon cœur, il y a tout de même une réserve. Pas envers eux, envers moi. La poubelle est encore trop pleine de scories pour que je puisse me laisser aller.

Cela fait déjà quelque temps que je traîne à la maison quand, un jour, ma mère me demande si j'ai quelque chose de prévu. Non. Rien, évidemment. Elle veut me montrer un endroit. Je suis partant.

Elle me conduit à Nice. Elle m'amène tout droit dans l'église Sainte-Rita.

Je ne trouve pas les mots pour décrire ce qui m'arrive quand je franchis le seuil de l'église. Le senti-ment d'être investi par la grâce. Sur le parvis déjà, et dans l'église, le pressentiment de cette grâce, comme si toutes les prières de ma mère s'étaient accumulées sous ces voûtes en m'attendant, et qu'à ma première appari-tion, elles m'étaient tombées dessus pour m'enve-lopper de leur chaleur. Je cligne des yeux. Je cherche à comprendre. J'y renonce bien vite. Je me laisse envahir par une présence impalpable mais pacifiante. Au fond de l'église, quelqu'un m'attend.

Encore tout cotonneux, j'écoute ma mère faire les présentations. C'est le père Alain. Il est canadien. Il s'adresse à moi. Sa voix est chaude, pleine de bienveillance. Il me dit qu'il a beaucoup entendu parler de moi, par ma mère. Il connaît ma situation dans ses moindres détails. Mais il souhaiterait que je lui en parle moi-même, si je le veux bien. Je ne demande que cela.

À mesure que je me raconte, je m'en aperçois, l'entretien informel se transforme en une véritable confession. C'est la première fois que je me confesse depuis des années. Les larmes affluent. J'ai de plus en plus de mal à parler. Mais je veux continuer, aller jusqu'au bout, me débarrasser du fardeau qui pèse sur mon cœur, de tout ce qui alourdit mon âme. Je veux me vider.

Le père Alain m'écoute. Il fait preuve d'une immense patience, d'une immense compréhension. Lorsque j'ai fini, il prend la parole. Doucement, avec une infinie attention, il m'explique que la première chose à faire, la plus urgente et la plus importante pour moi, c'est de me pardonner. Me pardonner, rejeter au loin cette culpabilité néfaste qui m'emprisonne et m'empoisonne. Ensuite, il me dit qu'il me faudra prier pour obtenir la force de pardonner à ceux que je poursuis de ma colère et de ma haine. Leur pardonner. À eux comme à moi. Après quoi, il me fait prendre conscience de la présence de Dieu à mes côtés. Et que cette présence ne m'a jamais abandonné. Céline, son père, Bobby, l'église Saint-Pierre, autant d'interventions divines sur mon chemin. Il me fait comprendre, surtout, que les épreuves que l'on

traverse ont un sens. Il y a un sens dans notre cheminement, dans notre avancée, même lorsque l'on recule.
Oui, aussi paradoxal que cela puisse paraître. Il faut simplement avoir de la patience et chercher à comprendre
pourquoi cette épreuve surgit à ce point. Il y a une
réponse. On ne la perçoit pas lorsque l'on est en pleine
tourmente, mais elle existe. Et lorsqu'on la découvre,
lorsqu'elle nous est donnée, c'est le signe que l'on est
sorti victorieux de l'épreuve.

Quand nous partons, ma mère et moi, après que
nous avons franchi le seuil en sens inverse, en me
retrouvant dans la rue, au milieu de la foule, je me sens
envahi par un sentiment inouï de réconciliation.
Réconciliation avec moi-même, avec ma mère, avec
Dieu. J'éprouve un sentiment de plénitude aussi, parce
que soudain la vie reprend sens, signification. Elle
n'est plus ce monde brisé dans lequel j'évoluais hier
encore. Ce monde plein de trahisons, de blessures,
plein d'abîmes incompréhensibles dans lesquels je
m'égarais et me perdais. La vie redevient pour moi un
tissu continu d'événements où tout est lié, où rien
n'est irrémédiable, où la faute est une faute, pas une
catastrophe, où la chute n'est pas le mal, mais le signe
d'un combat, d'une épreuve. Un monde où il n'y a
plus d'absurdités grotesques et ridicules, mais du sens
et des réponses.
En descendant les ruelles du vieux Nice, je regarde
autour de moi et, pour la première fois depuis fort
longtemps, j'ai l'impression que la création, les boutiques, les gens, rayonnent. Ma mère me dira que de ce
jour mon visage s'est transformé. Et de fait je me sens

ressuscité. Vraiment. La haine, l'amertume, la rancune ont disparu ! Et avec elles les crises d'angoisse, les vertiges, les nausées, la folie paranoïaque.

Je sors de mon cauchemar. Je me réveille. J'ouvre à nouveau les yeux sur le monde. Et comme il arrive souvent dans ce cas-là, la beauté de l'aurore naissante, alliée au sentiment que tous les monstres de la nuit n'étaient que des illusions sans consistance, m'émerveille. Je me sens heureux. Heureux et soulagé, empli de force, de volonté et pressé même de faire quelque chose, d'agir, de secouer les derniers restes de ténèbres.

Je ne m'attarde pas à Cagnes. Je repars pour Paris. Tout autrement disposé qu'il y a maintenant… Oh ! Combien d'années ? Quatre, cinq, six ? Je ne sais plus. Je n'y pense pas. J'ai quelque chose à accomplir. Des réponses à obtenir.

J'ai quitté ma maison, la première fois, aimanté par l'espoir. Je repars, aujourd'hui, empli par l'espérance.

La Rencontre

Comme je l'ai dit, Greg a laissé Biarritz derrière lui. Il est monté à Paris, lui aussi, il y a deux ans. À cette époque, je venais de rencontrer Céline. J'ai pu la lui présenter. Greg cherchait un travail. Généreuse, comme à son habitude, Céline lui en a dégoté un, le jour même ou presque, à Disney Channel, comme manœuvrier ou je ne sais trop quoi. Au bas de l'échelle, en tout cas, mais Greg ne demandait rien d'autre.

Avec le temps, il a monté les échelons. Il travaille maintenant aux décors. Oh ! c'est une promotion modeste. Mais c'est assez pour qu'il cesse, comme je l'avais fait moi-même, à mon arrivée, de dormir à droite et à gauche. Il loue, à présent, un studio de vingt mètres carrés, à Montmartre, au pied du Sacré-Cœur.

Il s'en sort. Ce n'est pas terrible mais il s'en sort. Seulement, il se sent seul. Et, à Paris, quand on est seul, on le ressent jusqu'au tréfonds de ses entrailles. Avec toute cette agitation, qui envahit les moindres ruelles, la solitude vous tombe dessus comme un vice, un défaut. On a le sentiment que quelque chose ne va pas, que l'on n'est pas comme tout le monde. Asocial. Foutu pour la vie. C'est faux, bien sûr. N'empêche que ça fait mal. Et Greg, ce n'est pas son travail qui va lui remonter le moral.

Tout cela pour dire qu'il aimerait bien que je me pointe. Pensez que je suis partant ! Surtout dans mon nouvel état d'esprit. J'y vois même une bénédiction, une manière inespérée de boucler le cycle, de le fermer pour en ouvrir un autre. Une manière aussi, pour moi, de reprendre pied dans mon passé ; pas sur le mode souvenir et regret, mais réellement. Me ressourcer en Greg.

Donc, quand je débarque à Paris, c'est tout droit chez lui que je file. Je n'y pensais pas, c'est en regardant par les fenêtres du studio que je réalise qu'on voit la basilique, juste à côté, et sa croix gigantesque qui brille matin, midi et soir. Je me dis que c'est un signe. Et que je ne la lâcherai pas.

Avec Greg, on est comme des gosses. Moi, avec mon RMI, lui avec ses vingt mètres carrés ! Embarqués dans la même galère, mais tellement heureux !

Côté musique, les choses ne suivent pas le cours prévu.

D'abord, je lâche le producteur que Charly m'avait présenté, à cause d'une banale histoire d'éthique et de morale. Charly, de son côté, ne peut plus nous aider. De plus en plus accaparé par son travail, qui finit par l'entraîner aux États-Unis, il se fait de plus en plus distant.

Comme si cela ne suffisait pas, la conjoncture s'est renversée. La politique du métier a changé. À cause des attentats du 11 septembre et du crack boursier, les *Majors* ne veulent plus prendre de risques. Elles font dans la sécurité.

Pour l'instant, la galère continue.

Mais je ne m'en irrite pas. Je sais que la solution viendra. J'ai des maquettes en lesquelles je crois et une équipe qui croit en moi.

Seulement, tous ces contre temps me laissent désœuvré.

Tout cela fait que je passe du temps dans le studio de Greg. Un soir, qui ressemble à tous ces soirs où je traîne en attendant le lendemain, je suis assis sur la moquette, les Évangiles dans les mains. Je ne suis pas spécialement en train de prier ou de méditer. Je suis simplement fatigué et, pour me reposer, je pense à Jésus en lisant les Écritures. Je suis le conseil de ma mère.

Je vous avoue que ce n'est pas habituel chez moi. Jusqu'à ce moment, j'ai une idée plutôt générique de Dieu. Je lui parle. Je sens sa présence. Mais à vrai dire, je ne mets pas de nom sur Lui. Dans ma période bouddhiste, cela me convenait bien. Et même à Londres, dans l'église Saint-Pierre. Mais depuis mon expérience dans l'église Sainte-Rita, je me suis rapproché des conceptions de la foi que partage ma mère. Rapproché seulement. Elles ne sont pas encore une évidence dans mon cœur. Donc je suis là, assis sur le sol, et je pense à Jésus, à sa Passion. Je me dis aussi que si Céline ou mes potes me voyaient, ils me prendraient sans doute pour un « taré ». Mais c'est ma mère qui m'a conseillé de le faire. Et ma mère ne m'a jamais menti. Si elle m'a dit de le faire – et avec quelle passion, quel amour dans la voix ! –, c'est qu'elle sait de quoi elle parle.

Aussi, dans le silence, je m'efforce de penser à Jésus, à tout ce qu'il a enduré, à tout ce dont il a souffert, à son agonie sur la croix, à sa résurrection. Je me dis, en lisant les Évangiles, que même si on refuse de croire en sa divinité, de croire qu'il est le Fils de Dieu, on ne peut pas nier son amour. Son amour pour Dieu et pour les Hommes qui l'a conduit à accepter la mort. En ce qui me concerne, je veux croire en sa divinité. Je ne le sais pas clairement, mais lorsque je lis les Évangiles, les Actes, les Épîtres, j'y trouve des paroles de sagesse et d'amour, des paroles de vérité et de joie qui me poussent irrésistiblement et définitivement à considérer Jésus comme mon Sauveur.

La nuit est tombée. Dans l'encadrement de la fenêtre, au loin, la croix du Sacré-Cœur illumine le ciel. Je pourrais faire un parallèle avec le logo d'Alliage perçant la nuit, illuminant le ciel, lors de cette soirée péniche, au quai de New York. Je ne le fais pas. Je n'ai pas la tête à ça. Ces moments ne me hantent plus. Il y a trop de différence aussi, entre la paix dans laquelle je suis plongée et l'excitation bruyante de cette soirée, entre le signe qui se détache dans la nuit, cette croix, et le logo. De tout à rien. Dérisoire, ce logo, avec son agitation fébrile, quand je considère la sereine immobilité de la Croix.

Je fais brûler un peu d'encens, pour parfumer la pièce. J'ai allumé une bougie, et une petite lampe de chevet. Dans un coin, sur l'écran allumé, son coupé, défile la nouvelle émission de télé réalité, *Pop star*. Une grimace ironique du passé, mais qui me fait mal pour les gosses qui s'y trouvent embringués. Je me dis qu'ils sont dans un piège terrible dont ils n'ont même pas idée. Puis j'éteins et je tourne la tête.

Tout est paisible. Malgré ma vie chaotique, je me sens bien, détaché, tranquille et, sans parler, je pose les Évangiles pour entamer un dialogue avec Dieu.

Je lui demande ce qu'Il veut de moi, ce que je dois faire, où je dois aller. Une première réponse m'est délivrée : le don de soi. Je comprends. Il faut que je me détache encore plus de mon être. Je dois m'abandonner, m'oublier, me libérer du peu qu'il me reste. Je m'y efforce. J'essaie de me vider de tout. De mes désirs, de mes pensées et même de mes questions. Je m'efforce de repousser tout ça. Je ferme les yeux. Je me concentre. Annuler tout ce qui vient de moi, tout ce qui m'alourdit, tout ce qui me sépare de Dieu.

Soudain, comme si mon esprit était projeté ailleurs, je me vois nu dans le désert, environné par une tempête de sable. J'ai peur. Je crie. Ou plutôt, parce que là, dans la pièce, je ne bouge plus, je me vois crier, éprouver la peur. Dans la pièce, je suis absolument calme, mais dans la vision, le demi-songe, je suis terrifié. Puis à la peur succède la paix. Et je Le vois ! Le Christ est devant moi ! Sans hésitation, je me précipite vers Lui. Il m'attend. Il me sourit. Il m'ouvre les bras. Il rayonne de charité. J'en suis submergé. Un instant, hors du temps, je coïncide avec son amour pour les hommes. C'est merveilleux. Sans limite.

La sensation est tellement violente que j'ouvre les yeux. Mais je ne suis pas hagard. Je n'ai pas le sentiment de m'éveiller. Parce que même là, dans la pièce retrouvée, les yeux grands ouverts, je sens encore la violente présence de la grâce et le bien-être absolu qui l'accompagne. Inondé de joie, je pleure. Je ne bouge pas. Je n'ose pas. J'ai peur de rompre le charme, de dissiper par un mouvement mal venu la sensation miraculeuse qui m'habite. Je reste assis. J'essaye de comprendre, de conserver un peu de cette grâce qui m'a été donnée pour la comprendre. Et je réalise. Je réalise qu'aussi grand que soit le mystère de la foi, derrière lui se cache quelque chose de plus grand encore, une force, une divinité qui outrepasse tout jugement humain. Et que, parfois, par l'intercession du Christ, cette puissance d'amour nous parvient. Et que, pour celui qui se trouve sur son chemin, tout bascule.

Je finis par me remuer. Je ne peux pas rester immobile indéfiniment. J'ai compris ce qu'il y avait à comprendre. Au-delà, chercher à en savoir plus, je soupçonne que ce serait indiscret : construction et spéculation. Des constructions et des spéculations qui ne peuvent qu'abîmer la pureté du message.

Je me lève.

De toute façon, je sais, maintenant, que je ne marche plus seul. Et je m'attends à vivre des choses extraordinaires.

Richard Cross

Le programme est draconien. Pas question de faiblir, de s'endormir ou de baisser les bras. Je dois tout changer. Il me faut un train de vie sain, pour retrouver l'endurance, la force physique et le sommeil.

Après ce que j'ai vécu, cette Rencontre, je ne me sens plus le droit de gâcher ne serait-ce qu'un instant de ma vie. Ce qui m'est arrivé est prodigieux. Il est impensable que je m'autorise, à présent, le moindre écart.

Et je m'y mets à fond, comme à mon habitude, mais cette fois pour mon bien. Cela fait si longtemps que je me laisse aller !

D'avoir arrêté l'alcool m'a permis de retrouver mon ancienne apparence, celle du temps où j'étais marbrier. Mais il y a encore des kilos en trop que je dois faire fondre. Le reste de mes abus qui me nargue. Et des vapeurs, dans mon crâne, que je dois expurger.

Oui, il me faut une discipline du corps et de l'esprit.

J'ai trouvé dans le quartier une salle de sport. Attention, ce n'est pas aérobic, jacuzzi et gonflette ! Il n'y a pas un bar tout propret où l'on vous sert du jus de carotte pour vous remettre de vos émotions. Non, c'est un vieux local. Rue Clignancourt. Pas de miroirs dans la salle récurée à la javel. Des appareils à moitié rouillés. Rien à y faire que des efforts. Il y a aussi un vieux sac de frappe en cuir jaune, tout poussiéreux, un sac d'entraînement pour les boxeurs. Je me procure des gants.

Alors, levé à sept heures.

La messe, dans la basilique, est à neuf heures.

Je prends mon petit-déjeuner. Tranquillement. Puis, je démarre.

Je sors. Je monte les escaliers en courant. Au début, je souffle. Ensuite, je tiens. Je rentre dans l'église. J'assiste à la messe. Je ressors. Une demi-heure de corde à sauter sur le parvis. Puis, je descends en courant. Direction la salle de sport où je fais du sac.

Il y a un cliché Rocky, là-dedans ? Évidemment. Et ça me plaît. Remonter la pente, se forger un moral, se forger un corps. Oui, ça me plaît parce que je sais d'où je viens et que ce n'est pas du bidon. Parce que je ne fais pas ça pour m'amuser mais pour me sauver, pour me récupérer, pour me reconstruire.

C'est dur. Très dur. Une vraie torture. Je suis vraiment endommagé. Mais grâce aux messes quotidiennes, aux homélies du prêtre, je renforce mon esprit. Et grâce aux exercices, à la corde, à la salle, je renforce mon corps. En plus, taper sur le vieux sac de cuir jaune me permet d'évacuer tout ce qui me reste de colère. Et quand je me sens vidé par tous ces efforts, il y a encore la confession, le dialogue avec les prêtres, qui remplissent le vide que crée l'épuisement.

Aller – retour. Église – salle de sport. Salle de sport – église. Plus d'alcool ni d'excès.
Greg ne me reconnaît plus.

Cette nouvelle discipline me donne la force de reprendre le projet d'*In Terra* et de me mettre en quête d'une maison de disques qui voudrait bien produire cet album (qui, au reste, ne porte pas encore ce nom). Je n'ai plus une once d'amertume. Je n'en veux plus à mes anciens producteurs, aux gens qui m'ont rejeté quand j'étais dans la difficulté. Je sais simplement que ce n'est pas la peine de frapper, à nouveau, aux portes qui m'ont été fermées, de m'entêter dans cette direction. Il n'y a rien à attendre de ce côté-là. Mais il y a encore tout le reste. Et je retrousse mes manches.

Même si *In Terra* est un bide, même si je dois me casser la gueule, changer de métier, l'album sortira. Je me le promets. Je me le dois. Je le dois à tous ceux qui m'ont aidé.

C'est à cette époque que je retrouve quelqu'un qui est cher à mon cœur. Lorsque je songe à l'amitié, hors le clan de mes potes, c'est le nom de Richard Cross qui me vient spontanément à l'esprit. Singulière amitié, d'ailleurs, soumise aux tornades du métier, et avec laquelle je renoue à cette époque.

Un soir, comme je regarde l'émission *Pop star*, j'aperçois Richard. Il a l'air en forme. Il sourit. Il semble bien dans sa peau. Tous ses problèmes, ceux dont on m'avait parlé et qui avaient affecté son existence, semblent avoir disparu. J'en suis très heureux pour lui. Je le regarde bouger ; je l'écoute parler, et je souris de plaisir. Puis, tout à coup, je réalise que de le voir, ainsi ressuscité, m'est comme une sorte de leçon. Sa présence me dit que l'on peut toujours revenir, que l'on peut traverser une mauvaise passe et s'en sortir. Je lui en sais gré. Et soudain, une irrésistible envie de le revoir me prend. Pour lui dire merci, pour lui dire mon amitié, pour lui dire que je regrette de ne l'avoir pas contacté, pour lui dire…

Émotif, je suis aussi impulsif : dès le lendemain, j'appelle GLEM, que par fierté je n'avais plus contacté depuis la fin d'Alliage. Je veux parler à la seule personne capable de me renseigner et qui, j'en suis sûr, le fera si elle le peut : Sonia, la secrétaire de Moyne. On me la passe et je lui demande le numéro de téléphone de Richard. Gentiment, elle m'en donne un que je m'empresse de composer. Je tombe sur une boîte vocale. Un peu dépité, je laisse tout de même un message dans lequel je dis à Richard, en substance, que j'aimerais bien qu'il me rappelle mais que, connaissant maintenant le métier, je savais que l'on n'avait jamais le temps de rappeler ceux que l'on aime, et que s'il ne le faisait pas, je le comprendrais.

Les fêtes de fin d'année arrivant, je descends dans le Sud. C'est là que je reçois le coup de fil de Richard. Il me dit combien il a été ému par mon message et nous nous promettons de nous revoir à mon retour à Paris.

Cette fois, je ne manque pas à ma promesse. Ma vie n'est plus tramée de folles activités comme du temps d'Alliage, elle n'est plus, non plus, livrée à l'amertume et au désespoir. Je suis en pleine reconstruction, attentif à tout ce qui pourrait embellir mon existence, lui apporter la bonté et l'amour dont elle a besoin. J'ai aujourd'hui, plus qu'hier, besoin de l'amitié de personnes comme Richard.

Lorsque nous nous revoyons, nous partageons nos trajets respectifs, nos difficultés, notre commune volonté de combattre, de nous en sortir. Richard a conservé sa délicatesse, sa douce intelligence. Il m'écoute et je sens qu'il me comprend, comme le ferait un ami, sans juger, mais en prenant sur lui mes problèmes, mes désirs. Il est débordé de travail. Il est impliqué dans les nouvelles comédies musicales qui se mettent en place, *Les dix commandements*, *Roméo et Juliette*, *Cindy*. Mais il prend pourtant le temps de m'écouter avec soin.

Comme je suis au RMI, sans travail, que je galère, il me propose de l'assister, un temps. Quelques mois, pas grand-chose, juste de quoi me réintroduire en douceur dans le milieu. Et comme je suis sans argent, souvent, le lundi, il m'invite à manger. Toujours aussi délicat, se levant pour payer afin que je ne le remarque pas. Des déjeuners pendant lesquels nous parlons et qui me permettent de reprendre pied, de reprendre goût à l'existence dans mon milieu. De temps à autre, d'ailleurs, il me dit qu'il a transmis certaines des maquettes que je lui avais confiées à un ami producteur. Vraiment, il a contribué à me redonner goût à la vie, dans un milieu qui était le mien.

En quelques mots, donc, je dirais que Richard est une personne qui, par sa simple présence, arrive à me soutenir moralement. Il incarne, pour moi, les valeurs profonde de l'amitié : le respect et la charité. Il est une image de ce que l'homme devrait être avec son prochain.

Tout cela est bien beau, mais ça fait maintenant neuf mois que je vis chez Greg et rien ne bouge. La cohabitation devient difficile. Ce n'est pas de notre faute ; seulement, deux lascars comme nous, dans vingt mètres carrés, c'est rude.

En effet, malgré mes démarches et l'aide de Richard, je ne trouve toujours pas de maison de disques qui veuille produire *In Terra*. Et mes perspectives, dans ce domaine, se réduisent comme peau de chagrin. Singulièrement, je n'en suis pas affecté. J'ai toujours confiance. Grâce à ma nouvelle discipline, j'encaisse beaucoup mieux les difficultés, les contre temps. Je ne me réfugie plus dans l'alcool, comme autrefois. Je vais à l'église. Et croyez-moi, ça n'a pas le même effet ! L'alcool, c'est une stratégie de fuite qui accroît les problèmes, les rend plus pesants, ou même, plus pâteux. L'alcool fait que les problèmes vous collent à la peau, qu'ils deviennent votre peau. Il faudrait qu'on se lave. On le sait. Mais on est trop fatigué. Et on fuit plus loin encore, et on boit encore plus. L'église, au contraire, me permet de relativiser mes ennuis, d'affronter la vie, de la prendre comme elle se donne. Ce n'est pas qu'elle me fasse voir tout en rose, loin s'en faut. Mais chaque fois que j'essaie de me dérober, que je prends la tangente, un mot, une phrase, dans les Évangiles, pendant les offices, au cours de la confession, m'en empêche.

Je sais maintenant qui je suis et je l'accepte.

Je ne reste pas très longtemps « assistant » de Richard. Ce n'était pas une finalité mais une main tendue qui m'a bien aidé. À la place, maintenant, entre deux rendez-vous avec des producteurs, je tente, ici et là, de faire des extra. Pourquoi pas ? Ce n'est pas plus mal que le reste. C'est ce que j'ai fait pendant des années sans m'en plaindre. C'est ce que je peux de nouveau envisager de faire, parce que je suis en paix avec moi-même, parce que j'ai réussi à lier, rassembler tous les Steven qui sont en moi : l'adolescent, le chanteur, le galérien, le croyant. Donc, de temps à autre, je suis serveur dans un pub et, entre deux bières, il m'arrive de signer des autographes !

Au début, je trouve le contraste entre ces autographes et ma situation de RMiste – ramant tout ce qu'il sait, en quête vaine d'un producteur, vieux jeune chanteur oublié de tous – assez pathétique. Mais cela ne dure pas.

Pourquoi toujours considérer le mauvais côté des choses ? Pour commencer, au fond de moi, signer des autographes me fait plaisir. Et il ne faut jamais cracher sur un plaisir, il faut le prendre pour ce qu'il est :

quelque chose de bon. Ce qui est mauvais, c'est d'attraper la grosse tête. Dans ma condition, ça ne risque pas. Alors, quand je signe, j'y mets le sourire. Et puis, que l'on me demande ainsi des autographes prouve que les gens ne m'ont pas oublié. Et c'est de bonne augure pour mon *come-back*.

Mais le temps passe. Vient l'été.

Aussi fort, moralement, que je me prétende, je n'imagine pas de rester à Paris durant l'été. Je ne supporte pas de ne rien faire. Je ne l'ai jamais supporté. Moins encore maintenant. L'inactivité me rappelle de mauvais souvenirs. Or, l'été, il n'y a rien à faire dans notre métier. Tout est fermé. Tout le monde est parti. Sans compter la moiteur et la crasse qui vous rentrent dans les pores, quand juillet et août s'abattent sur la capitale. Je me dis que je ne peux pas rester.

Et je descends dans le Sud. Avec un petit pincement au cœur, tout de même. Parce que je suis comme ça. Fait comme ça. Je n'y peux rien. Je ne peux pas croire au dicton qui dit : « Reculer pour mieux sauter. » Pour moi, « reculer » c'est reculer, un point c'est tout. Et quitter Paris me fait l'effet de reculer un peu. Heureusement, Greg m'a assuré que je pouvais revenir chez lui à la rentrée. Je suis armé.

Ma mère, de son côté, a connu un véritable petit miracle.

Pendant que je galérais à Paris, elle galérait à Cagnes-sur-Mer. Elle était au chômage. Elle cherchait du travail. Pas facile. Un beau jour – il y a deux mois de ça –, elle apprend, par l'intermédiaire d'un ami, qu'une famille aisée recherche une femme de ménage. Ce n'est pas un salon de coiffure, mais c'est mieux que de ne rien faire. Oui, vraiment, c'est mieux que le chômage. Alors elle se présente. Et elle est engagée. Immédiatement ! Et pas comme femme de ménage, mais comme gouvernante d'une milliardaire allemande ! Tout ça d'un coup. Évidemment, cet engagement change la donne, transforme sa situation matérielle, aussi bien que sa vie. Parce que, de gouvernante, elle devient rapidement intendante, et est appelée à suivre cette femme dans ses déplacements autour du monde.

Du coup, aussi, les conditions s'améliorent pour moi. D'abord, ma mère, qui avait retrouvé confiance en moi, trouve avec ce travail des raisons d'être heureuse, et j'en suis ravi. Ça me libère, me rassure. En outre, comme ses ressources financières connaissent une embellie, elle m'en fait profiter. Ce qui me rend les choses plus faciles, il faut bien le reconnaître.

À Cagnes, je retrouve des potes. C'est le début de l'été, le début de la saison. Grâce à Hervé, je dégote un job dans une pizzeria. Serveur. Les patrons sont supers. Ils ne me prennent pas la tête, ne jugent pas mon passé. On devient amis. En plus, je m'éclate, pas mécontent de voir que je n'ai pas perdu la main.

211

Dans la région, la nouvelle court, très vite. Un ancien du groupe Alliage s'amuse à faire le serveur dans une pizzeria. Je fais attraction. Ce n'est pas grave. Ça les amuse, moi aussi. Je fais toute la saison comme ça.

Rejoyce

De retour à Paris, je reprends ma quête. Il me faut trouver une maison de disques. Cela devient urgent. Et une chambre meublée, aussi. Car je sens que les choses doivent s'arrêter avec Greg. Je dois le laisser respirer. Je ne veux pas gâcher une vieille amitié.

Donc, j'endosse de nouveau la défroque du démarcheur. Au milieu de mes pérégrinations, je me retrouve, un certain après-midi, du côté de Saint-Paul. J'ai rendez-vous avec une copine, Aude. Elle se pointe en compagnie d'une autre de mes copines, Zak, une chorégraphe que j'avais souvent croisée sur les plateaux télé. Je suis tout heureux de la revoir. Je ne m'y attendais pas. Ça me fait vraiment plaisir.

On papote. On se raconte. Elle me raconte ce qu'elle est devenue depuis son *coaching* dans Notre-Dame de Paris. Je lui parle de ma descente aux enfers et de ma remontée, et de mes problèmes. À ce moment-là, elle mentionne le nom d'une certaine Isabelle. C'est quelqu'un de très bien, m'assure-t-elle, qui s'occupe d'artistes et qui a l'oreille des gens importants dans le métier. Il faut que je la rencontre.

Deux jours plus tard, j'ai rendez-vous avec Isabelle à République, dans le 10ᵉ.

Les premières impressions sont toujours les bonnes.

Quand Isabelle paraît, je sais tout de suite que c'est elle que je cherchais. Quelque chose en elle, son charisme, m'en assure. On parle. Elle ne laisse rien transparaître, c'est une professionnelle. Mais je marche au feeling et je sens qu'avec Isabelle, nous ferons un bout de chemin. Au passage, comme si de rien n'était, elle m'indique qu'elle possède une petite chambre de bonne qui m'est ouverte si je le veux. Zak a dû évoquer ma situation. Avant de se quitter, je lui donne mes maquettes : qu'elle juge sur pièces pour décider si elle désire m'aider, et comment.

J'attends quelques jours sa réponse. Quand elle me la donne, j'en accepte les termes. Les maquettes, le projet, sont potentiellement riches, mais il y a des choses à revoir. Ses critiques me paraissent justes. Je l'écoute. Elle trouve que les morceaux ne reflètent pas suffisamment ma personnalité et que je n'ai pas assez poussé la direction musicale. En bref, qu'il faut que j'en fasse plus, dans le rock et dans les textes. Ça me va. Mais la conclusion de cette expertise, c'est qu'on ne peut pas soumettre les maquettes, en l'état, à des producteurs. Donc, il faut les reprendre. Seulement voilà, les frères Khalifa – et je les comprends parfaitement –

ne veulent plus bouger le petit doigt sans un contrat signé.

Autrement dit : avec les maquettes, telles qu'elles sont, je ne peux pas signer de contrat, il faut les modifier ; mais, sans contrat, je ne peux pas modifier les maquettes pour les rendre présentables et signer un contrat. Le serpent se mord la queue. Je suis coincé.

Autre mauvaise nouvelle, je ne peux plus rester chez Greg. On craque tous les deux. C'est le cœur serré que je prépare mes affaires. Je repense alors à la proposition d'Isabelle. Pourquoi pas ?

Elle est toujours d'accord et je m'installe dans la soupente. C'est son fils qui m'accueille, une tornade de moins d'un mètre et de tout juste cinq ans.

Les fêtes de fin d'année approchent. Je n'aime pas les fêtes de fin d'année. Rien de plus triste, de plus désespérant, quand on n'a pas d'argent et qu'on est loin des siens. En plus, côté professionnel, je suis toujours coincé. Isabelle et sa famille sont adorables avec moi, mais elle reste inflexible. De même, les frères Khalifa. Je ne peux rien faire. Ma mère est aux États-Unis. Elle y a suivi sa milliardaire. Je ne l'ai plus vue depuis début septembre. Il y a trois mois. Elle me manque.

C'est le matin. Dehors, il pleut et il fait froid. Des amis photographes m'ont rebattu les oreilles avec la luminosité de Paris. Sans doute ont-ils raison, mais dans la grisaille, moi, je ne remarque pas les couleurs qui ressortent, je remarque la grisaille. Et ça me désespère. Ça me rend triste. Ce matin, je suis triste. Je n'ai envie de rien, ni de bouger, ni de prier. Au bord de mon clic-clac, je sirote ma chicorée et je m'interroge. Je me demande ce qui se passe. Pourquoi suis-je encore dans le noir ? Après toutes les certitudes que j'ai eues, et qui me disaient que je devais avancer, j'ai l'impression de stagner, de tourner en rond, de m'égarer dans un vrai dédale de faux problèmes. Finalement, je me dis que je n'ai qu'une chose à faire : aller à l'église.

Comme j'ai changé de quartier, j'ai changé d'église : maintenant, je vais à Saint-Sulpice, parfois à Notre-Dame. En tout cas, je vais régulièrement à l'église. La prière et les Évangiles, la Bible tout entière, me sont un viatique. La messe aussi, à laquelle je m'efforce d'assister le plus souvent possible. Mon « pain quotidien », si j'osais. Les lectures, les paroles de consécration, les prières, les récitatifs, je ne me lasse pas de les entendre et réentendre. J'y trouve les réponses aux questions que je me pose. Une espèce de théologie liturgique qui me permet de mieux comprendre ma foi, de l'approfondir, d'aller plus profond en elle, au-delà du simple sentiment, même si ce sentiment est devenu pour moi une évidence fulgurante. Parce que cette évidence est une force, mais une force à laquelle il faut donner un contenu, une force qu'il faut orienter ou plutôt qu'il faut comprendre. Je sens qu'il me faut creuser les paroles du Christ pour saisir leur sens, pour me constituer dans leur signification. Pour cela, les offices m'apprennent beaucoup de choses. Ils me contiennent, m'empêchent de charger le Christ de paroles que je crois bonnes, mais qui viennent de moi, et me poussent à écouter et à entendre celles que Lui sait justes et appropriées.

Quand j'arrive sur la place, je suis en avance, à mon habitude. Singulière habitude d'ailleurs, comme si je voulais prendre position sur le terrain, le premier. Cette fois, ce n'est pas le cas. Je suis en avance, un point c'est tout : une demi-heure avant la messe. Je décide de me promener dans le quartier, de rêvasser en flânant.

Tout en marchant, je me dis que, quoi qu'il advienne, je ne dois pas abandonner la prière. Je ne dois pas en vouloir à Dieu. Rien reprocher au Christ, à la mère de Dieu, à personne. J'aurais pourtant envie de le faire. Quoi ! Rien ne se passe. Est-ce que je n'ai pas assez souffert ? Assez expié ? Mais je sais que je dois être patient. Aussi difficile que cela soit. Endurer. Même quand je veux tout casser. Surtout quand je veux tout casser. Endurer, me durcir, pour sortir du désert dans lequel je me suis fourvoyé. Plus même, apprendre à aimer ce désert, lieu d'épreuve et de renaissance.

Car il est plus dur, quoi qu'on en dise, de croire que de ne pas croire. La foi est un combat contre les pièges du monde. Mais un combat magnifique et noble. Et pur. Un combat que l'on doit mener pour soi, et pour tous ceux qui sont tombés pour l'amour de Dieu, tous ceux qui, à travers leurs doutes et leurs faiblesses, ont défendu le Christ jusqu'à la mort, jusqu'au martyre.

Puis, je ne sais trop pourquoi, mes pensées glissent vers monseigneur Berg. Je songe à ce qu'il me disait, du haut de ses quatre-vingt-trois ans, à Nice, un jour que je me confessais. Je lui avouais combien m'avaient boule-versé la rencontre de l'Église et l'amour présent dans les Évangiles. Et avant même que j'émette l'idée d'entrer, peut-être, au séminaire, il m'avait, avec un humour décapant, fait comprendre que j'avais un don, et que ce don, je ne pourrais pas en faire usage si je prenais la soutane. Vous me croirez si vous voulez, mais depuis, à chaque fois que l'idée d'abandonner le monde est devenu trop forte, quand j'étais pratiquement déjà en train de boucler mes valises pour partir au séminaire, un événement s'est produit qui m'en a détourné, m'a replongé dans l'existence ordinaire, dans le monde : que ce soit la rencontre de Zak, celle d'Isabelle ou celle d'amis musiciens. À chaque fois. Comme un signe.

Sans que je m'en aperçoive, mes pas m'ont conduit vers les boutiques d'articles religieux qui sont autour de Saint-Sulpice. J'ai encore quelques minutes à perdre. Il pleut toujours. J'entre dans l'une d'elles pour me mettre à l'abri et pour regarder ce qu'il y a. Je furète. Par une espèce de déformation professionnelle, je me dirige vers le présentoir des CD. Le classique : Monteverdi, Mozart, chants religieux médiévaux. Mais au milieu de tout cela, un CD retient mon attention.

La pochette, le nom du groupe, le style, tout tranche. Du moins me semble-t-il. Curieux, je vais voir le ven-deur. Il m'explique. *Glorious*, c'est le nom du groupe, fait de la pop évangélique. Quoi ? Eh bien ! ils évangéli-sent à travers la musique pop. Ils font passer la « bonne nouvelle » dans leurs concerts. Sur le moment, je trouve cela bizarre. Puis, je me dis que c'est une façon comme une autre de toucher les gosses. Et même, en y pensant, je considère la démarche honorable et courageuse. Et je retourne la pochette. En bas, à droite, dans un coin, il y a les coordonnées de la production : Rejoyce. Avec un numéro de téléphone !

Je note le numéro et je sors.

Dehors, il pleut toujours. J'ai encore un moment avant la messe. Je m'abrite sous les marronniers. Il fait froid. Je ne suis pas dans une forme éclatante. J'ai cette idée en tête, qui me turlupine. *In Terra* est en stand-by. Personne ne veut de moi. Isabelle attend que j'améliore les maquettes avant de me présenter à des producteurs, mais je ne peux pas le faire. Tout est gris. Tout est fermé. Pourquoi n'essaierais-je pas d'appeler ? C'est un label comme un autre. Qu'est-ce que je risque à leur envoyer mes maquettes ?

Je n'avais pas pensé, jusqu'à présent, à faire le lien entre ma foi et mon métier. Bien sûr, dans mes textes passe ce que je crois. Mais ce que je connais du milieu est plutôt laïcité et indifférence. Au mieux, image. Tu crois en quelque chose ? Très bien. C'est ton person-nage. Et si ça t'aide à te sentir à l'aise dans tes baskets, à être plus cool, c'est encore mieux. Pour le reste, ça ne nous regarde pas. Le métier a ses lois qui ne sont pas celles de la Charité. Alors, quand tu rentres dans un studio, tu laisses ta foi au placard.

En outre, ma foi, je la voyais comme une aide, un soutien de tout mon être, pas un truc ou un moyen pour m'ouvrir les portes des maisons de disques. Et voilà que, d'un coup, je découvre que ça peut aller ensemble, qu'il y a des producteurs pour qui ça compte, la foi, l'Église.

Un temps, je me mords la lèvre inférieure, puis, c'est décidé. Je compose le numéro. Tonalité. Une voix me répond au bout de deux sonneries. Première surprise, ce n'est pas une secrétaire, c'est le directeur du label lui-même. Deuxième surprise, après que je me sois présenté, il se trouve qu'il me connaît. Pardon ? Je ne crois pas l'avoir jamais rencontré. Non, effectivement, mais il m'a vu, à la télé. Pas dans ma période de gloire, à l'époque où j'étais en difficulté. Julien Courbet avait fait un reportage sur le groupe, où j'expliquais ma position. Il me demande comment ça va. Je lui raconte mon parcours, d'autant plus librement que je reste sous le coup de la surprise.

Je lui demande, à mon tour, comment il en est arrivé à produire de la pop évangélique. Il m'explique qu'il a commencé il y a sept ans. D'abord de la musique classique, puis un jour il est tombé sur le groupe *Glorious*. Il en profite pour m'interroger sur le genre de musique que je fais. Rock ! Ça ne le gêne pas. Il dirige une maison de disques et il est ouvert à toutes les propositions. J'ajoute que mes textes, enfin, pour la plupart, ont une connotation spirituelle. Peut-être que… S'il voulait écouter mes maquettes ? Pour juger par lui-même. Quelques secondes de silence. Le temps de trouver une date. Et il me donne rendez-vous à six jours de là. Hasard ? Ça tombe pile la date de mon anniversaire. Je ne risque pas d'oublier.

Quand je raccroche, la pluie a cessé de tomber. Une éclaircie dans le ciel. Les rayons du soleil percent la couche de nuages. Ils illuminent le parvis de l'église, tout humide, plein des reflets de lumière. Je suis troublé.

C'est bien la première fois, depuis ma grande période, qu'on me donne si rapidement rendez-vous. La première fois, aussi, depuis bien longtemps, qu'on me traite avec respect.

Les cloches de Saint-Sulpice carillonnent. Elles appellent à la messe, à l'Eucharistie. Tous les ingrédients d'un conte de fées sont réunis. Je n'ai qu'une envie, maintenant, me précipiter dans l'église pour rendre grâce.

Un bel anniversaire

Une semaine. L'une des plus longues de ma vie. Du rendez-vous, je ne parle à personne. J'ai trop tendance à m'emballer, à la ramener, à tout raconter, surtout quand j'ai l'impression que le vent souffle dans le bon sens. Cette fois, bouche cousue. Rien. À personne. Pas même à ma mère. Pour vous dire !

On doit se retrouver dans un bar du 16ᵉ arrondissement, le « Café Passy ». À mon habitude, j'arrive en avance. Je m'assieds, je commande, puis je profite du temps qui me reste pour prier, pour demander que la rencontre se passe bien. J'en profite, aussi, pour observer les gens qui entrent dans le café. On ne voit pas encore les lampions et les guirlandes de Noël, mais à une certaine fébrilité on sent l'approche des fêtes. Tout à coup, je repère deux gaillards dans l'entrée. Un petit blond, à tête d'ange, et un grand brun, avec des lunettes et un large sourire. C'est eux ! Je ne les ai jamais vus, mais je les reconnais. Question de feeling. Ils s'approchent, leur regard rayonne de sincérité.

Une heure et demie plus tard, on se sépare, eux avec mes maquettes, moi avec leur catalogue. Je suis impressionné par ce qu'ils m'ont montré. Leur label est en pleine croissance ! Dieu sait combien le métier est difficile pour les petites boîtes.

Je crois que le rendez-vous s'est bien passé. Oh ! ce n'est pas encore gagné, mais j'ai bon espoir.

En partant, ils m'ont lancé la phrase fatidique : « On vous rappelle dès qu'on a écouté. » J'avoue que cette phrase m'est insupportable. Pourquoi ne pas fixer un jour, une heure ? Pourquoi, comme cela, rejeter dans l'abstraction d'un « je vous appelle » celui qui vient vous donner, lui, la matière concrète d'une maquette ? Je crois que je ne m'y ferai jamais. Mais ce n'est plus l'heure de discuter. Mon avenir est entre les mains d'Éric Long et de Gabriel Lefèvre. Autant que je passe à autre chose.

C'est la fin de la matinée. Je n'ai rien d'autre à faire, alors je pars en banlieue retrouver des amis musiciens. Je répète toute la journée comme un fou, au point d'en oublier le rendez-vous du matin.

Quand je rentre à Paris, la nuit est tombée. Et moi, je tombe dans des embouteillages, pas loin de Notre-Dame. Quai Montebello, tout est bouché. Je n'avance plus. C'est la nuit. Je ne sais pas combien de temps je vais rester là. Je recommence à déprimer.

Au fait, je viens de réaliser ! Aujourd'hui, c'est le jour de mon anniversaire ! Pas joyeux ! Et ma déprime de s'accentuer à cette idée.

Tout à coup, mon mobile se met à vibrer. Un appel ! À la voix, c'est Éric Long. Mon pouls s'accélère. Si vite ! Je pressens une mauvaise nouvelle. Je ne sais pas quoi. Un problème, un empêchement de dernière minute, quelque chose qui s'est passé et qui fait capoter le projet, d'une manière ou d'une autre. Pour qu'il me rappelle le soir même !…

Il me demande s'il me dérange. Je réponds « Non, bien sûr », tout en fixant la silhouette massive de Notre-Dame qui se dessine à ma droite.

Et j'attends, en suspendant ma respiration. Mais, du combiné, ne provient rien d'autre qu'un grésillement caverneux, une espèce d'écho, comme si nous étions branchés sur le vide, le néant. Est-ce que je suis branché sur le néant ? On dirait qu'Éric a compris mon interrogation muette car il se remet à parler pour me préciser que son téléphone est sur haut-parleur et que Gabriel est auprès de lui.

Je ne comprends pas bien pourquoi ils se mettent à deux pour m'annoncer la mauvaise nouvelle. Poli, néanmoins, j'articule : « Je vous écoute. » En réalité, je n'écoute rien. Je ne suis déjà plus à la conversation. Mon esprit déjà a sauté à la journée de demain, à la recherche d'une solution, d'une autre maison à contacter. Voire, s'ils ne me prennent pas – et l'idée s'impose à moi de plus en plus –, se résigne déjà à renoncer définitivement. Tout laisser tomber, passer à autre chose, jeter les maquettes aux orties, remercier mes musiciens, oublier la musique et faire... je ne sais trop quoi.

Mais Éric est en train de parler. Que dit-il ? Qu'il a trouvé ma voix surprenante, inattendue. Mais que ce n'est pas ce qui l'a retenu. Ce sont les textes !

J'ai tout entendu me concernant. Ma voix, mon regard, ma gueule, ma façon de bouger, mes efforts, mon travail, que sais-je ? Paroles sincères, pures flatteries ? Il y a longtemps que je n'y prête plus attention. Mais le coup des textes, on ne me l'avait jamais fait.

Or, mine de rien, c'est une chose à laquelle je tiens, mes textes. Et ça me touche, qu'ils les aient remarqués. Je dresse l'oreille. Je reviens au monde. J'écoute Éric me parler, et à mesure qu'il s'explique, le sourire me revient, mon visage s'illumine.

Ces textes, mes textes, que j'avais écrits avec mes tripes, sans recherche, sans prétentions littéraires, pour me vider, ne pas garder en moi ce qui m'agitait, c'est cela qui les intéresse. Ils y ont retrouvé l'aspect spirituel, l'espérance, les valeurs fondamentales qu'ils défendent... Et ils ont décidé de me produire !

« Nous serions enchantés que tu signes chez nous ! » Ces mots résonnent encore dans ma tête alors que j'ai déjà raccroché.

Je pleure. Je ne peux pas m'en empêcher.

Je viens de gagner ma guerre. Je viens de me prouver que je suis vivant. Oh ! il n'y a pas de sigle dans le ciel, pas de disque d'or. Ce n'est pas une victoire avec trompettes, flonflons et cachetons. Je suis seul dans ma Smart, ma voiture joujou. Mais c'est une victoire autrement importante que celle que j'ai fêtée, une nuit, à bord d'une péniche, au bord de cette même Seine que je longe. C'est une victoire sur le temps, sur l'histoire, sur un destin contraire.

Je contemple Notre-Dame. Je me dis que c'est ça, la force du Christ. Rien n'est écrit quand on se confie en Lui. Le destin n'existe pas. C'est une pente, simplement. Une pente qui devient irréversible lorsqu'on s'y abandonne, lorsqu'on se laisse glisser, rien d'autre. Si on s'accroche, si on résiste, on peut toujours se rétablir. Plus même, si on s'accroche, on se rétablit nécessairement, parce que l'on est occupé à s'accrocher et que l'on oublie la pente, le vertige de l'abîme. C'est ce qui m'arrive aujourd'hui. Ce que cela donnera ? Quel avenir me prépare ce « oui » miraculeux ? Je l'ignore. Ce que je sais, c'est que j'ai exorcisé le mauvais œil. Je suis arrivé au bout de mes peines.

Toujours engoncé dans ma Smart, je contemple Notre-Dame avidement, et je rends grâce à Celui qui l'habite. Je dois rendre grâce. Seul, je n'y serais jamais arrivé. Cela aussi je le sais. D'une autre manière. Pour avoir prétendu pouvoir le faire et avoir échoué. Pour avoir cru, dans ma naïve vanité, que je pouvais et me punir et m'en sortir seul. Seulement, dans mon cheminement solitaire je n'ai rencontré que douleurs et désolations. Un paysage qui m'a glacé. C'est Celui dont la croix du sacrifice se dresse à présent devant mes yeux qui m'en a sorti, qui m'a appris les deux choses qui, aujourd'hui, me soutiennent : que l'on n'est jamais seul et qu'aucune peine, aucune douleur n'est assez forte pour annuler l'espérance.

Je repense aussi à mon arrivée à Paris, à mon premier casting, à mon premier engagement. Je voulais commencer à zéro, au bas de l'échelle, apprendre, me former. C'est finalement ce qui m'a été échu. Mais bien autrement que prévu. À travers les affres et les souffrances. En commençant par tout avoir puis par tout perdre. Peut-être fallait-il cela pour que je prenne vraiment la mesure de ce que veut dire le bas de l'échelle ? En tout cas, ces années m'ont servi. Elles m'ont permis d'apprendre mon métier. Aujourd'hui, je repars à zéro mais riche de toute une expérience dont j'étais dépourvu lors de mon arrivée dans la capitale et convaincu que je dois plus que quiconque justifier de mon talent, et le fait que je sois dans ce métier. Mon combat à venir : me sortir de mon image.

Je n'avance guère dans l'embouteillage mais je ne vois pas le temps passer. Je suis perdu dans mes pensées. Je laisse vagabonder mon esprit.

J'ai appris mon métier et autre chose encore, de plus décisif. J'ai appris le détachement, à vivre selon la volonté de Dieu. C'est un rude combat, la discipline de l'abandon. Non point une pure passivité. Car on continue de désirer, de vouloir et de vivre dans cet abandon à la volonté divine. Mais on apprend à écouter, à entendre ce que vous dit le monde quand il vous donne et quand il vous refuse. C'est éprouvant de se heurter à des refus, pesant de les endurer alors qu'ils vous paraissent comme autant d'injustices, mais

c'est nécessaire pour savoir que les dons, pas moins
que les refus, sont des épreuves. Le détachement donc.
Pour prendre la mesure des choses et comprendre que
l'on vaut mieux, toujours, que ce que l'on fait, que les
hommes valent mieux, toujours, que ce qu'ils font.

Vivant

Le contrat est signé. Ma nouvelle maison de production m'a accordé tout ce que je demandais pour pouvoir retravailler les maquettes. J'ai tout négocié moi-même, et j'en suis fier. Isabelle, il est vrai, m'a aidé, et largement conseillé. Mais je me sens, chose rare, un artiste libre.

Comble de bonheur, toujours dans le sillage de sa milliardaire, ma mère change de poste. Elle devient l'intendante d'un enfant de la famille. Elle quitte les États-Unis pour venir s'installer à Paris. C'est extraordinaire. Que rêver de mieux ? En plus, elle habite le même quartier que moi.

Parce que, évidemment, avec mon contrat en poche, j'ai pu libérer Isabelle de la charge de ma présence et m'installer dans un petit studio meublé.

Je reprends donc les maquettes avec les frères Khalifa. Nous voulons intégrer des musiciens indépendants sur l'album.

Grâce aux relations des frères Khalifa, je me tourne vers le monde anglo-saxon. Là-bas, les musiciens, comme ils le disent eux-mêmes, s'en « foutent » de l'image. Si le projet leur paraît bon, ils y vont. C'est ainsi que je reçois des gens comme Neil Wilkinson, Tim Landers, Mo Foster, extraordinaires musiciens de studio, qui ont travaillé avec Dido, Phil Collins, Robbie Williams, Oasis, etc. Comme ingénieur du son, on s'offre une grosse pointure, anglo-saxonne toujours, Michael Bigwood.

Entre-temps, quand même, mais chaque fois par hasard, j'ai rencontré les musiciens avec lesquels je partagerai la scène. Certains, dans la nouvelle salle de boxe où je me suis inscrit, comme Alain, Guillaume, Morgan – malheureusement, il est trop tard pour qu'ils puissent intervenir sur les maquettes ; d'autres, presque dans la rue, comme Dj Kery, que j'ai découvert dans une boutique. Lui, je pourrai le placer sur l'album et intégrer ses *scratches* qui donnent la touche ultime.

Tout se met en place. Il ne manque plus qu'un titre à l'album pour boucler le projet.

Même si je travaille comme une brute sur l'album, je n'en oublie pas d'assister à la messe. Je vais, plus souvent qu'avant, à Notre-Dame. Conséquence, peut-être, de ma nuit d'anniversaire…
Habituellement, on y distribue, à l'entrée, des polycopiés de l'homélie, des chants et des différentes prières.

Ce jour-là, je prends la liasse que l'on me tend, et je vais m'asseoir sur l'un des bancs de l'église.

Je suis en avance. L'office n'a pas encore commencé. Je parcours le polycopié. J'ai la tête qui bourdonne du travail sur l'album, mais je suis là pour autre chose. Je tombe sur le *Notre Père* en latin. Je le connais. En français. En latin, je l'ai entendu. Mais là, sous mes yeux, toute la prière se déroule, ligne à ligne. C'est une prière qui m'est chère. Bien sûr parce qu'est celle que nous a léguée le Christ ; mais aussi parce que j'y trouve, formulé, ce qui est presque devenu l'axiome de mon existence : « Que Ta volonté soit faite. »

Ou, en plus développé : « Que Ta volonté soit faite sur la terre comme au ciel ! » Au ciel, bien sûr. Mais je n'y suis pas. Je suis bel et bien sur la terre ! Absolument. J'en suis persuadé. C'est bien cela que le Fils nous apprend à demander au Père dans notre prière. Que ta volonté soit faite sur la terre ! *In terra*. C'est bien cela que mon périple m'a fait découvrir. La volonté de Dieu, ce que je suis, ce pour quoi je suis fait, et où se situe ma place... Sur terre. Oui ! Je ne suis pas mort, ni dans l'âme, ni dans le cœur, ni dans le corps. Je ne suis plus dans l'irréalité, « la tête dans les nuages », comme on dit mais bien les pieds sur terre.

Seulement, plus je me répète ces deux mots, « *in terra* », plus j'ai le sentiment qu'ils me sont familiers. Ça y est ! Évidemment. Cela n'a rien à voir avec l'Église, mais c'est ça. À la sonorité, ces deux mots m'évoquent le titre d'un album de Nirvana : *In utero* !

Et tout à coup, tous les éléments s'assemblent. La dernière pièce du puzzle se met en place. Je tiens le titre de mon premier album : il s'appellera *In terra*.

N'allez surtout pas chercher des explications compliquées, psychanalytiques, des métaphores de naissance, de renaissance ou je ne sais quelles autres choses tarabiscotées. Il n'y a rien de tout cela. C'est beaucoup plus simple. C'est ce que je suis. La rencontre, surprenante si vous voulez, de la foi et de la culture rock, la seule que j'ai vraiment connue.

Vient le moment du *show-case*. Il a lieu salle Wagram, en début de soirée. Il n'y a pas grand monde. Pas beaucoup de représentants de la presse. Enfin, ceux qui sont venus veulent juger sur pièce. C'est bien. C'est pour eux que je vais jouer. La foule n'est pas là mais l'ambiance est au rendez-vous. Et tout se passe bien.

Dans les jours qui suivent, je mesure la distance entre ma nouvelle situation et ce à quoi j'étais habitué avec GLEM. Les réactions se font attendre. Les articles sont parcimonieux. Ça m'irrite un peu. Je suis impatient. Je me ronge les sangs. Je ne suis pas encore complètement désintoxiqué. Il me faut faire des efforts sur moi-même. On s'habitue si vite au pouvoir, à la facilité, aux gros moyens, au fait d'être adulé par des millions de fans ! On s'habitue si vite au fait de voir les choses aller grand train, bouger sans cesse !

Mais je me reprends tout aussi rapidement que je m'emballe. La prière, la pensée des gens qui m'entourent, qui m'ont aidé, soutenu, tout cela me rappelle à l'ordre. Non, je n'ai pas la grosse mécanique d'Universal derrière moi. J'ai mieux, j'ai des amis, des gens qui croient en moi, en mon travail, des gens qui ne me considèrent pas comme une machine à sous mais comme un être humain.

Le soleil luit doucement, il fait bon. Une luminosité apaisante enveloppe le petit village perché de Saint-Paul-de-Vence et baigne la terrasse du « Café de la place » où je me trouve, comme aux anciens jours. Mais ce matin, je ne suis pas avec mon Greg, les frères Imbert, Cédric et Hervé ; je suis en compagnie d'Olivier et de sa charmante Patricia.

Comme Richard Cross, Olivier et Patricia sont des amis chers à mon cœur que j'avais perdus, dans la folie qui a ruiné mes vingt ans et, comme Richard, je les ai retrouvés il y a peu. En la compagnie fraternelle d'Olivier, je peux savourer les discutions simples et riches à la fois, sur tout et rien, car comme moi c'est un « passionné », érudit en sport, particulièrement en football, en vin, et grand connaisseur de notre région. C'est un délice pour moi, lors de nos retrouvailles, de l'écouter me raconter ses dernières excursions dans l'arrière-pays ou encore de déguster ses dernières trouvailles dans son petit commerce, une cave à vin, qui se situe à la

Colle-sur-Loup. Cela me rappelle alors qu'il n'y a pas que la musique et Paris. Non loin de nous, sur le terrain de pétanque que vont bientôt envahir les joueurs, le petit Ruben, leur fils âgé de quatre ans, s'efforce avec une détermination inébranlable de monter sur son vélo. Il y arrive et fonce à toute allure, fier de nous montrer son courage et son exploit. À ma droite, son petit frère, Raphaël, somnole dans son landau. Il émane de ce moment de calme l'évidence chaleureuse d'un bonheur simple qui me bouleverse.

De mon côté, tout en me chauffant au soleil, je me sens en paix. J'attends sereinement les résultats de la sortie de l'album. Je suis encore tout au plaisir d'une visite à monseigneur Rey, l'évêque de Toulon-Fréjus, qui m'a parlé de l'Agapè-thérapie, une cure spirituelle pour nettoyer l'âme que j'envisage sérieusement de suivre.

Papa, *dad*, commence à se faire vieux : il va vers ses soixante-cinq ans ; et, naturellement, les Citizen's, que je croyais éternels, touchent à la fin de leur carrière. Pour *pépère*, qui a vécu en artiste et n'espère aucune retraite, s'annoncent des temps difficiles. Maman a quitté sa milliardaire. Elle est de nouveau sans travail. Pourtant, aucun d'entre nous n'est affligé. Et j'ai confiance en l'avenir.

S'il est une chose que j'ai apprise de mon périple, c'est que le temps nous fait des dons qu'il faut savoir accueillir. Il m'a été beaucoup donné mais je n'étais pas prêt. J'ai gâché ces dons et j'en ai souffert. Puis j'ai découvert, quand tout m'était retiré, la joie profonde qu'il y a à recueillir les petites choses, en les tenant

235

pour ce qu'elles sont : des merveilles. Le sourire d'un ami, la chaleur d'un SDF, la confiance d'un inconnu.

Je suis en paix, maintenant, oui, comme un veilleur dans le silence de la nuit, accompagné de l'invisible présence du Christ. Et avec Lui, je peux me réjouir du bonheur simple de mes amis, Olivier et Patricia, parce qu'il fait partie de ces petites choses qui sont des merveilles. Et avec Lui, je peux trouver dans l'acharnement du petit Ruben, dans l'innocent sommeil du petit Raphaël, bien plus d'agrément que dans toutes les soirées de dupes que j'ai connues. Et avec Lui, je sais que l'on peut traverser les tourmentes, que si l'on tombe, on peut toujours se relever, comme me le prouve un petit garçon de quatre ans que la vie n'a pas abîmé.

J'ai confiance en l'avenir, car m'importe à présent de construire une vie qui ait sens. Et je crois bien que donner sens à ma vie n'est rien d'autre que l'environner de merveilles, non de gloire, de strass ou d'argent. Être attentif comme un veilleur à ce qui est bel et bon, d'où que cela provienne, quel que soit celui ou celle par qui cela vient. Être attentif, savoir le reconnaître au moment où il se donne. Les Grecs avaient un mot pour dire ce bonheur d'accueillir les dons : « *kairos* ». Se réjouir dans la diversité de la vie.

J'ai traversé l'épreuve, j'ai grandi. Maintenant, la vie s'offre à moi et je suis tout disposé à la saisir. Je suis vivant !

Table

Pour en savoir plus
sur les Presses de la Renaissance
(catalogue complet, auteurs, titres,
extraits de livres, revues de presse,
débats, conférences…),
vous pouvez consulter notre site Internet :

www.presses-renaissance.fr

Impression réalisée sur CAMERON par

BUSSIÈRE CAMEDAN IMPRIMERIES
GROUPE CPI

à Saint-Amand-Montrond (Cher)
en avril 2004
pour les Éditions Presses de la Renaissance
12, avenue d'Italie
75013 Paris

Composé par Nord Compo
à Villeneuve-d'Ascq

N° d'édition : 974. — N° d'impression : 041702/1.
Dépôt légal : avril 2004.

Imprimé en France